PROFIL D'UNE ŒUVRE

Collection créée par Georges Décote

Les Liaisons dangereuses (1782 / 1998)

CHODERLOS DE LACLOS
STEPHEN FREARS

JEAN-LUC FAIVRE
Agrégé de lettres modernes
JOHAN FAERBER
Docteur ès lettres modernes
Certifié de lettres modernes

Sommaire

© Hatier, Paris, 2008   ISSN 0750-2516   ISBN 978-2-218-93190-1

La lettre *L.* suivie d'un nombre d'un ou plusieurs chiffres renvoie au numéro de la lettre citée.

Jean-Luc Faivre est l'auteur de l'analyse du roman (p. 2-137), de la bibliographie et de l'index.
Johan Faerber est l'auteur de l'analyse filmique (p. 139-171).

Édition : Luce Camus / Charlotte Monnier
Maquette : Tout pour plaire
Mise en page : Graphismes

FICHE PROFIL

Les Liaisons dangereuses (1782)

Choderlos de Laclos (1741-1803)

Roman épistolaire   XVIII⁰ siècle

RÉSUMÉ

Pressé par Mme de Merteuil de corrompre la jeune Cécile Volanges promise à un homme dont la marquise souhaite se venger, le vicomte de Valmont refuse d'obtempérer; il a en effet entrepris la conquête de Mme de Tourvel, une femme vertueuse et fidèle. Dans le même temps, Cécile découvre l'amour avec le séduisant Danceny alors que Valmont subit les sarcasmes de Mme de Merteuil qui tourne en ridicule sa stratégie amoureuse. Toutefois, informé que Mme de Volanges, la mère de Cécile, a révélé à Mme de Tourvel le jeu pervers auquel il se livre, Valmont exécute finalement les instructions de Mme de Merteuil et, avec la complicité involontaire du naïf Danceny, devient l'amant de Cécile.

Si Mme de Tourvel refuse encore les avances du libertin, elle en est néanmoins tombée amoureuse. Fort de cette faiblesse, Valmont sollicite une entrevue au cours de laquelle il parvient à ses fins. Mais, faute impardonnable pour un libertin, il s'éprend de sa nouvelle conquête dont Mme de Merteuil, ivre de jalousie, exige le sacrifice. Valmont, pourtant sincèrement amoureux, obéit aux ordres de la marquise et rompt, par une terrible lettre, avec Mme de Tourvel.

Les deux roués entrent cependant en conflit ouvert et, dans un geste d'anéantissement réciproque, rendent publiques les lettres qu'ils ont échangées, preuves irrécusables de leurs turpitudes. Danceny, outré d'avoir été odieusement manipulé, tue Valmont en duel et quitte la France pour Malte. Mme de Merteuil, ruinée et malade, s'enfuit en Hollande. Mme de Tourvel, retirée dans un couvent depuis l'atroce rupture, succombe en apprenant la mort de Valmont. Cécile, enfin, après une fausse couche, se réfugie dans un monastère.

– **La marquise de Merteuil :** jeune veuve de vingt-cinq ans, aristocrate, et d'une intelligence supérieure. Elle a une connaissance approfondie du cœur humain. Personnage central, elle combine avec maîtrise, en libertine consommée, toutes les intrigues du roman.

– **Le vicomte de Valmont :** même âge et même milieu social que son amie Mme de Merteuil. Cynique sans scrupule, il est le type même du roué accomplissant le mal pour le mal. Sa stratégie galante n'égale pourtant pas celle de la marquise.

– **Madame de Tourvel :** âgée de vingt-deux ans environ, elle est l'épouse d'un haut magistrat (noblesse de robe). Elle est d'une sensibilité et d'une émotivité exacerbées. C'est une femme vertueuse et une chrétienne fervente.

– **Cécile Volanges :** quinze ans, noble, Cécile est d'une nature sensuelle et irréfléchie, la victime idéale du « danger des liaisons ».

– **Danceny :** âgé de dix-huit ans, amoureux sentimental et doucereux, il devient cependant peu à peu le type d'homme à bonnes fortunes. D'une sensibilité trop passive, il est, lui aussi, une proie toute désignée pour les libertins.

C L É S   P O U R   L A   L E C T U R E

1. Un roman épistolaire : *Les Liaisons dangereuses* s'inscrivent dans la tradition du roman par lettres. Laclos porte ce genre à sa perfection et en opère du même coup la liquidation.

2. Un roman de mœurs : à travers Mme de Merteuil et Valmont, Laclos brosse le portrait du « Tartuffe de mœurs », libertin hypocrite et pervers qui sévissait sous le règne de Louis XVI.

3. Un roman psychologique : hormis les catastrophes qui, lors du dénouement, accablent Mme de Merteuil, toute l'intrigue du roman repose sur la seule psychologie des personnages.

4. Un roman éthique : Laclos dénonce les ennemis de la sociabilité, ceux qui feignent l'honnêteté pour mieux la détruire de l'intérieur et interdire tous les rapports sociaux authentiques, ce que l'on pourrait appeler « les liaisons heureuses » (L. Versini).

Laclos
en son temps

BIOGRAPHIE DE LACLOS

La vie militaire

Pierre-Ambroise-François Choderlos de Laclos naquit à Amiens le 18 octobre 1741. Sa famille était probablement d'origine espagnole et son père était secrétaire de l'intendance de Picardie et d'Artois. Le jeune Choderlos fut vraisemblablement élevé dans l'une de ces académies où l'on apprenait un peu les humanités, mais surtout la danse, l'équitation et les armes. Il semble néanmoins avoir fait de bonnes études.

Il se destinait à la carrière militaire et, à dix-huit ans, le 1er décembre 1759, il entra à l'école d'artillerie de La Fère. Le 23 janvier 1760, il fut reçu élève du Corps royal et, le 8 mars 1761, obtint son brevet de sous-lieutenant. Promu lieutenant en second le 15 janvier 1762, on l'affecta, selon ses vœux, à la Brigade des Colonies. Créée en vue d'expéditions outre-mer, cette formation perdit sa raison d'être en 1763, à la suite du traité de Paris, et devint le régiment de Toul-Artillerie. Dès lors, pendant vingt ans, ayant perdu ses espoirs de combats et d'aventures, Laclos vécut, en province, de ville en ville, l'existence terne et peu exaltante d'un officier de garnison.

En 1769, après avoir séjourné à Toul et à Strasbourg, il suivit son régiment à Grenoble où il demeura jusqu'en 1775. C'est dans cette cité, selon Stendhal, que Laclos aurait connu les modèles des personnages de son futur roman et qu'il écrivit, dans le genre léger au goût du temps, ses premiers poèmes (*Les Souvenirs*, *épître à Églé*).

À Besançon, autre cantonnement, pour tromper l'ennui, il rédigea le texte de deux opéras-comiques : *La Matrone* et *Ernestine*. Le premier ne fut jamais joué ; quant au second, tiré d'un roman sensible et tendre dû à la plume de Madame Riccoboni, il eut l'honneur de la Comédie-Italienne en juillet 1777, mais cette première et unique représentation se solda par un échec absolu. Grimm, dans sa *Correspondance*, parle de cette œuvre en ces termes : « On ne pouvait guère choisir de sujet plus agréable, on ne pouvait guère le défigurer d'une manière plus maussade[1]. » Le texte de ces deux ouvrages est perdu, et il ne semble pas qu'on ait à le regretter. Laclos allait, en effet, bientôt commencer la composition d'un livre dont le succès et les immenses qualités devaient lui assurer une éclatante réputation littéraire.

L'île d'Aix et *Les Liaisons dangereuses*

Bien noté, « officier intelligent[2] », en 1777, Laclos fut choisi pour préparer à Valence l'établissement d'une école d'artillerie. C'est pour les qualités dont il fit preuve au cours de cette mission qu'on lui confia, une fois encore, une tâche délicate : le 30 avril 1779, alors capitaine en second à Besançon, il fut détaché à Rochefort pour travailler aux fortifications sur l'Atlantique et, plus particulièrement, à la construction et à l'armement du fort de l'île d'Aix. En effet, depuis le traité d'alliance avec les Insurgents d'Amérique (6 février 1778), la France était à nouveau en guerre contre l'Angleterre et la tactique habituelle des stratèges anglais était bien connue : occuper les îles françaises du littoral occidental. Laclos travailla sous les ordres du marquis de Montalembert qui dira de lui, en 1782, qu'il était « sur les lieux un autre lui-même[3] ».

---

1. *Correspondance littéraire, philosophique et critique (1753-1793)*, édition de M. Tourneux, Paris, Garnier, 1877-1882, t. XI, p. 497.
2. Dossier concernant Laclos aux Archives de la guerre, mémoire du 1er septembre 1777.
3. Cité par René Pomeau, in « Le mariage de Laclos », *Revue d'histoire littéraire de la France*, janvier-mars 1964, p. 64.

Outre les problèmes techniques et l'édification des œuvres d'art, la responsabilité de Laclos fut bien réelle : il commandait à plus de cinq cents hommes et l'ennemi, depuis la bataille d'Ouessant (1778), hantait les parages. Pourtant, c'est dans ces circonstances que Laclos imagina les inoubliables figures de la marquise de Merteuil et du vicomte de Valmont. *Les Liaisons dangereuses* furent commencées et élaborées au cours des vingt-trois mois que leur auteur passa sur l'île d'Aix en 1779, 1780 et 1781. Le 4 septembre 1781, Laclos demanda un congé de six mois ; on présume que son livre était alors pratiquement achevé. L'ouvrage parut à la fin mars 1782 et connut immédiatement un immense succès de scandale.

Le mariage de Laclos

En mai 1782, Laclos regagna l'île d'Aix, mais la guerre touchait à sa fin et il ne tarda pas à recevoir une nouvelle affectation : en 1783, il fut chargé de construire, à La Rochelle, les bâtiments de l'Arsenal. C'est à cette époque et dans cette ville qu'il fit la connaissance de la jeune Marie Soulange Duperré qu'il séduisit et dont il eut un enfant naturel baptisé, le 1er mai 1784, sous le nom d'Étienne Fargeau. Laclos n'épousa sa maîtresse qu'en 1786.

L'Éducation des femmes et la lettre sur l'Éloge de Vauban

Une fois publiées *Les Liaisons dangereuses*, Laclos écrivit peu. Il fit paraître, en 1784, dans le *Mercure de France*, un article consacré à un roman anglais, *Cecilia*, où il faisait part de sa conception du roman. En 1785, l'académie de Châlons-sur-Marne ayant proposé comme sujet de concours le thème de réflexion suivant : « Les meilleurs moyens de perfectionner l'éducation des femmes », Laclos entreprit la rédaction d'un mémoire, *L'Éducation des femmes*, mais il ne l'acheva point. Il y reprenait les théories et les idées de Rousseau sur la nature et y faisait preuve d'un moralisme étonnant chez un auteur considéré comme libertin. Toutefois, le scandale attaché à son nom depuis la parution de son roman n'allait pas tarder à rejaillir. En effet, il produisit en 1786 un opuscule qui suscita, dans les milieux littéraires et militaires, quelques vives contestations. L'Académie française ayant mis au concours un éloge de Vauban, Laclos écrivit une lettre, très hardie pour l'époque, dans laquelle il montrait ce qu'un pareil panégyrique avait, à ses yeux, d'excessif et de déplacé.

▌Au service du duc d'Orléans

À la suite de cette publication qui osait s'attaquer à la doctrine des stratèges militaires en matière de fortifications, Laclos éprouva des difficultés avec ses supérieurs. Le ministre de la Guerre demanda son renvoi à Toul, où Laclos ne tarda pas à se lier avec le vicomte de Noailles qui l'introduisit auprès du duc d'Orléans. Le duc favorisa son retour à Parls et, en 1788, Laclos obtint un congé.

Devenu libre, il entra au service du duc d'Orléans en tant que secrétaire de ses commandements. Le duc d'Orléans, Philippe Éga-lité, groupait autour de lui tous les opposants du régime, les parti-sans des réformes et des Lumières, tous ceux qui souhaitaient une constitution à l'anglaise. Laclos devint très vite un des hommes de confiance les plus écoutés de ce prince et joua un rôle de première importance au sein du parti orléaniste. Soupçonné d'avoir financé les premières émeutes révolutionnaires (l'affaire Réveillon, le 14 juillet, les 5 et 6 octobre 1789), le duc d'Orléans, sous le prétexte d'une mission diplomatique, fut exilé à Londres. Laclos l'accompagnait.

En juillet 1790, revenu à Paris, l'auteur des *Liaisons* se jeta dans le combat révolutionnaire avec une énergie nouvelle. Il entra au club des Jacobins, rédigea, à partir du 21 novembre 1790 le *Journal des amis de la constitution* et devint un orateur très en vue. À la suite de la fuite du roi, en juin 1791, Laclos tentera, avec les Jacobins, d'obtenir la déchéance de Louis XVI et de porter le duc d'Orléans à la régence. Mais l'Assemblée nationale en décida autrement et, après les incidents sanglants du Champ-de-Mars, Laclos donna sa démission du club. Le 10 août 1792, il fut élu commissaire à la muni-cipalité parisienne et, le 29 août, Danton le nomma commissaire du pouvoir exécutif. C'est à ce titre qu'il s'efforça d'organiser la seconde ligne de défense qui, sans la victoire de Valmy, eût protégé Paris contre l'envahisseur.

En prison

Le 22 septembre 1792, Laclos fut promu général de brigade et, six mois plus tard, sur sa demande, il obtint le poste de gouverneur général des établissements français des Indes. Il cherchait donc à s'éloigner de France quand, le 31 mars 1793, après la trahison de Dumouriez, il fut décrété en état d'arrestation en même temps que le duc d'Orléans, les fils de celui-ci et plusieurs de ses partisans. Sa tête était menacée. Relâché sous condition le 10 mai, grâce à l'intervention de son ami Alquier, président du Comité de sûreté générale, il procéda, au Petit-Meudon, à des expériences sur le boulet creux, projectile de son invention dont la puissance d'explosion était bien supérieure aux boulets employés jusqu'alors. Toutefois, à la suite de la chute des Girondins, il fut de nouveau incarcéré, le 5 novembre, deux jours avant l'exécution du duc d'Orléans. Une fois encore, Laclos s'attendait à monter sur l'échafaud. Néanmoins, il échappa au supplice pour des raisons mal connues et fut libéré à la suite du 9 thermidor, après douze mois de détention.

Rappelé au service

Sorti de prison, Laclos présenta devant le Comité de salut public un mémoire intitulé *De la guerre et de la paix*, où il développait, entre autres, l'idée de mener la guerre jusqu'à ce que fussent conquises toutes les frontières naturelles. Du traité de Bâle jusqu'au 18 brumaire auquel il se ralliera avec enthousiasme, il fut conservateur des hypothèques. Le premier consul lui rendit son grade de général de brigade et l'affecta, sous les ordres de Moreau, à l'armée du Rhin dont il commanda l'artillerie. Il fit ensuite partie de l'armée d'Italie. En 1803, nommé au commandement de l'artillerie de Naples, on lui confia la défense de Tarente où, à peine arrivé, atteint de dysenterie, il mourut le 5 septembre.

PETITE HISTOIRE DE LA DÉBAUCHE
ET DU LIBERTINAGE AU XVIIIe SIÈCLE

Les Liaisons dangereuses ne sauraient être considérées indépendamment du contexte historique et social dont elles font partie. Le roman de Laclos, outre sa portée universelle, reflète les habitudes et la mentalité d'une certaine noblesse et d'une certaine aristocratie bourgeoise. Toutefois, il faut prendre garde aux erreurs de perspective : la société décrite par le romancier appartient à une époque très précise et il convient de brosser rapidement le tableau des mœurs au XVIIIe siècle pour situer à son exacte place dans une évolution générale ce que Laclos a voulu dépeindre et stigmatiser.

Les mœurs de la Régence

Premier septembre 1715 : Louis XIV expire. Cette mort est ressentie comme un véritable soulagement. Au rigorisme étroit des dernières années du règne, à l'influence austère et à la bigoterie de Mme de Maintenon, à la tristesse générale succède soudain l'explosion libératrice d'une ère nouvelle : la Régence.

À l'exemple du régent, Philippe d'Orléans, on se livre alors ouvertement aux plaisirs et la débauche s'officialise. Les femmes elles-mêmes prennent le goût de la crapule : la princesse de Conti, bru du Régent, et la duchesse de Bourbon se livrent à des ripailles effrénées et à de mémorables orgies. D'une façon générale les grands s'encanaillent et le libertinage devient un excellent moyen de parvenir : Dubois, Albéroni, le cardinal de Tencin doivent leur position sociale à la dépravation et à la licence des mœurs. Louis XIV, il est vrai, par sa politique de centralisation héritée de Richelieu, en ôtant à la noblesse ses prérogatives et ses raisons d'être, avait limité l'ambition des grands à la seule obtention de quelques titres versaillais et favorisé l'apparition d'une classe sociale condamnée à l'oisiveté ; quelques dizaines de personnes suffisaient désormais au gouvernement de l'État et si un nombre important de nobles servaient aux armées, un plus grand nombre encore n'exerçaient aucune activité. Le Roi-Soleil avait créé une race nouvelle : l'homme de cour dont la préoccupation essentielle était de plaire au souverain et dont l'existence, toute de loisirs, était consacrée à l'amour et aux femmes.

Le petit-maître

Sous le règne de Louis XV (1723-1774), la débauche est moins grossière qu'à l'époque de la Régence, mais les salons de la bonne société sont fréquentés par ces oisifs de haut rang parmi lesquels le petit-maître, préfiguration du roué de 1770, occupe une place privilégiée. Ce personnage passe son temps à persifler : son attitude égoïste et méprisante, son goût du dénigrement le portent insensiblement à la méchanceté ; insolent, il détruit les réputations et fait fi du sentiment. Le petit-maître méprise les femmes, ne les considère que comme les instruments de sa renommée. Pour lui, pudeur, principes, vertu et religion ne sont que des préjugés ridicules. Vers 1750, sous l'influence de la philosophie des Lumières, on voit apparaître le talon-rouge qui représente le « petit-maître philosophe » et qui s'inscrit dans la lignée traditionnelle du libertinage irréligieux des XVIe et XVIIe siècles.

L'aimable scélérat ou le modèle de Laclos

En 1774, avec l'avènement de Louis XVI, la corruption des mœurs semble diminuer ; en effet, le nouveau roi est épris de simplicité, de vertu et d'honnêteté. Alors que Louis XV s'abandonnait aux plaisirs les plus effrénés, son successeur s'adonne essentiellement à la vie familiale et à de saines activités. Le vice se dissimule désormais sous des apparences de correction et de sensibilité. Des Lauzun ou des Bezenval apportent dans leur libertinage plus de raffinement, d'élégance et de recherche qu'un maréchal de Richelieu, sans parler du Régent et de ses compagnons de débauches frénétiques et grossières. Mais, en se cachant, la scélératesse s'intensifie et perfectionne ses méthodes ; c'est l'époque où l'on crée le mot *rouerie*, où « triomphent le « Tartuffe de mœurs », le scélérat méthodique et le scélérat aimable dont le petit-maître n'était qu'une ébauche. Aimable parce que le séducteur est redevenu honnête homme, poli, raffiné dans ses manières et dans son langage ; aimable parce qu'il a toutes les grâces et les travers à la mode, qu'il est amusant et dangereux ; aimable parce qu'il sait parler d'amour aussi bien que les galants de la préciosité. Méthodique parce qu'il connaît les ressorts du cœur, et possède la science et la patience des longs investissements, le goût des savantes et progressives perversions[1] ».

La corruption qui s'étalait autrefois ouvertement s'intériorise, s'intellectualise. On prend goût au double jeu, à l'hypocrisie. On se livre à de savantes manœuvres et à des calculs compliqués pour sauver la face, pour donner à autrui le change entre l'être et le paraître ; l'historien Sagnac a même cru pouvoir distinguer dans cette époque « un secret plaisir du contraste caché entre les apparences et la réalité[2] ». Ce sont les mœurs de cette société et de cette génération dont Laclos a voulu faire la peinture dans *Les Liaisons dangereuses* à travers les personnages de Mme de Merteuil et du vicomte de Valmont.

1. Laurent Versini, *Laclos et la tradition*, Paris, Klincksieck, 1968, p. 42.
2. Cité par A. et Y. Delmas, in *À la recherche des « Liaisons dangereuses »*, Paris, Mercure de France, 1964, p. 11.

PREMIÈRE PARTIE

Résumé et repères pour la lecture

RÉSUMÉ

Naissance d'une rivalité

Le vicomte de Valmont, roué accompli, séjourne en province, à proximité de Paris, dans le château de sa vieille tante, Mme de Rosemonde, lorsqu'il reçoit une lettre de Mme de Merteuil, sa complice en libertinage, qui le presse de regagner la capitale au plus vite et lui assigne une tâche très importante : corrompre, avant qu'elle n'épouse le comte de Gercourt (*L.* 2), la petite Cécile Volanges, sortie depuis peu du pensionnat. Mme de Merteuil ne pardonne pas au comte de Gercourt de l'avoir délaissée : « [...] nous lui donnerons une femme toute formée, au lieu de son innocente pensionnaire. Quelle est donc en effet l'insolente sécurité de cet homme, qui ose dormir tranquille, tandis qu'une femme, qui a à se plaindre de lui, ne s'est pas encore vengée ? » (*L.* 20). Mais le vicomte refuse d'obéir aux ordres qui lui sont donnés ; il a mieux à faire que de débaucher « une jeune fille qui n'a rien vu [et lui] [...] serait livrée sans défense » (*L.* 4). Il a entrepris une tâche autrement difficile : séduire la dévote et austère Mme de Tourvel qui, en l'absence de son mari[1], est l'hôte de Mme de Rosemonde. Piquée par le refus du vicomte, Mme de Merteuil dénigre sa nouvelle conquête et le ton désinvolte de ses propos cache mal son orgueil blessé (*L.* 5).

La complicité qui unit la marquise et le vicomte est périlleuse. La volonté de puissance de Mme de Merteuil, l'esprit d'indépendance de Valmont percent sous l'ironie et le badinage du style. D'ailleurs, Mme de Merteuil a tôt fait de révéler à son correspondant la faute qu'elle ne saurait lui pardonner et qu'il ignore peut-être encore : « vous êtes amoureux » (*L.* 10). La marquise, qui a aimé Valmont plus

---

1. Monsieur de Tourvel est « président à mortier » au Parlement de Paris ; quand s'ouvre le roman, il est retenu en province par un procès où il ne figure pas comme juge, mais comme partie. Les parlements, sous l'Ancien Régime, étaient des cours de justice et le mortier était une toque ronde portée par les présidents, le greffier en chef du parlement et le chancelier de France. Monsieur de Tourvel est donc un haut magistrat.

qu'aucun autre (voir *L.* 131 et 134), est jalouse de sa rivale et ne peut tolérer ce qu'elle considère comme un véritable crime de lèse-libertinage ; aimer Mme de Tourvel c'est trahir des principes qui ont été longtemps les siens et ceux de son complice, c'est renier tout un passé commun ; d'où l'acrimonie de sa réaction. Elle cherche à piquer l'amour-propre de Valmont en lui prouvant qu'il a le ridicule d'être amoureux et elle tente plus subtilement d'exciter sa jalousie en lui décrivant minutieusement la nuit qu'elle a passée avec le chevalier Belleroche (*L.* 10). Cette manœuvre réussit, le vicomte réagit : « En lisant votre lettre et le détail de votre charmante journée, j'ai été tenté [...] de vous demander en ma faveur une infidélité à votre chevalier » (*L.* 15). Toutefois, le procédé est insuffisant et ne ramène pas Valmont. La marquise n'a plus alors qu'un moyen : elle s'offre comme récompense après le succès : « Aussitôt que vous aurez eu votre belle dévote, que vous pourrez m'en fournir une preuve, venez, et je suis à vous » (*L.* 20). La réalisation de ce dessein va constituer la trame de tout le roman.

Valmont à la conquête de Mme de Tourvel

Valmont s'attache donc, pour l'instant, à séduire la Présidente de Tourvel. Il a d'ailleurs l'intime conviction que cette femme n'est pas insensible à sa personne : n'a-t-il pas senti son cœur palpiter d'amour quand, au cours d'une promenade, il l'a prise dans ses bras pour l'aider à franchir un fossé (*L.* 6) ? De plus, Mme de Tourvel, malgré une lettre de mise en garde qu'elle a reçue de son amie, Mme de Volanges, persiste à défendre le vicomte (*L.* 11) et à penser qu'il vaut mieux que sa réputation (*L.* 8). Elle le fait même suivre par un de ses valets pour épier sa conduite (*L.* 15). Toutefois, ce procédé va se retourner contre elle et contribuer à sa perte.

Valmont, informé par son chasseur de la filature quotidienne dont il est l'objet, réussit, par un stratagème machiavélique, à tirer profit de la situation : il se livre publiquement à un geste de générosité en payant, dans un village voisin, les dettes d'un malheureux père de famille. Cette scène de bienfaisance ne manque pas, comme prévu, d'être rapportée à Mme de Tourvel et de provoquer chez elle l'émotion qu'espérait son séducteur (*L. 22*). Valmont profite de cet attendrissement pour se déclarer (*L. 23*) et remettre sa première lettre (*L. 24*). Mme de Tourvel sent bien qu'elle ne doit pas répondre, mais elle désire se justifier des larmes qu'elle a versées devant le vicomte et elle lui écrit pour la première fois : « Je m'en tiens, Monsieur, à vous déclarer que vos sentiments m'offensent » (*L. 26*). Dès cet instant, elle évite toute rencontre avec Valmont et refuse de recevoir les billets qu'il lui adresse (*L. 34*). C'est par ruse, en contrefaisant le cachet de la poste, que le vicomte réussira à faire parvenir une autre lettre qui sera lue puis déchirée devant lui, mais dont les morceaux seront précieusement conservés par sa destinataire (*L. 34*).

Mme de Tourvel tombe alors dans un autre piège : elle demande à Valmont de quitter le château de Mme de Rosemonde (*L. 40, 41*). Le vicomte obéit, car « qui commande s'engage » (*L. 40*), mais il négocie son départ contre la permission d'écrire et Mme de Tourvel est obligée de lui répondre, d'accéder non sans réticences à sa requête (*L. 43*). Cependant, avant de regagner Paris, le vicomte désire savoir qui cherche à lui nuire dans l'esprit de Mme de Tourvel et à le présenter comme un dangereux roué. Ne pouvant naturellement rien obtenir de Mme de Tourvel (*L. 43*), il n'hésite pas à fouiller lui-même dans son secrétaire (*L. 40*), mais en vain. Il procède donc autrement : son chasseur reçoit l'ordre de compromettre la femme de chambre de Mme de Tourvel. Apeurée, la pauvre fille s'exécute et livre la correspondance de sa maîtresse : les lettres du vicomte sont mouillées de larmes ; Valmont a la preuve que Mme de Tourvel est amoureuse. Autre découverte : c'est Mme de Volanges qui a prévenu Mme de Tourvel des dangers qu'elle courait en présence du vicomte et qui a brossé de lui un détestable portrait ; furieux, Valmont est déterminé à se venger et rejoint ici le dessein de Mme de Merteuil (*L. 44*). Or, de retour à Paris, le vicomte est porteur d'une invitation de Mme de Rosemonde à l'intention de Mme de Volanges et de sa fille Cécile (*L. 45 et 47*).

Cette première partie s'achève donc par une véritable montée des périls et les acteurs principaux du drame ne tarderont pas à être réunis. Enfin, le soir même de son arrivée dans la capitale, Valmont passe la nuit avec Émilie, une fille légère de sa connaissance qui, entre deux ébats amoureux, lui sert complaisamment de pupitre (*L.* 47) pour écrire à Mme de Tourvel une lettre à double sens (*L.* 48).

Les amours de Cécile

Au cours d'une séance de chant qui a eu lieu chez la marquise de Merteuil, le chevalier Danceny a fait la connaissance de Cécile dont il est tombé amoureux (*L.* 5 et 7). Depuis lors, Danceny se rend régulièrement chez la jeune fille et ils se livrent tous deux aux plaisirs de la musique. Cécile apprécie son partenaire. Dénuée d'expérience, redoutant les rigueurs de sa mère, la petite Volanges s'adresse à la seule personne de son entourage qui ait marqué pour elle un réel intérêt : la marquise de Merteuil. Celle-ci a déjà deviné que la jeune fille « aime [...] son Danceny avec fureur » (*L.* 20) et reçoit bientôt ses confidences (*L.* 27). Cécile a répondu à la première lettre du chevalier (*L.* 19) et Mme de Merteuil, loin d'empêcher ce commerce amoureux qui la sert, profite de la confiance qu'on lui accorde pour contrôler la correspondance de sa petite protégée, étouffer ses scrupules (*L.* 30) et lui faire haïr le comte de Gercourt, son futur mari (*L.* 38). Mais, soudain, au terme de cette première partie, Cécile demande à Danceny de ne plus lui écrire (*L.* 49) et se refuse catégoriquement à ses cajoleries (*L.* 46).

REPÈRES POUR LA LECTURE

Une « ouverture » romanesque bien orchestrée

Laclos ouvre son roman par une lettre de Cécile à Sophie (*L.* 1), où se mêlent ingénuité et vanité puérile, puis par une lettre (*L.* 2) de Mme de Merteuil proposant à Valmont une vengeance et une rouerie dont la petite Volanges sera l'instrument et la victime. Les deux thèmes majeurs de l'œuvre sont ainsi exposés dès les premières pages : innocence et corruption. Il faut aussi noter le ton des lettres 2 et 4 de Mme de Merteuil et de Valmont : impertinence, ironie, persiflage. Le climat du roman est donné d'emblée : *Les Liaisons* retracent l'affrontement mortel de deux amours-propres.

Une « affaire de famille »

Non seulement tous les protagonistes du drame appartiennent au même monde aristocratique, mais encore des liens familiaux les unissent les uns aux autres. Ainsi, Mme de Volanges est la cousine de Mme de Merteuil et a « fait » le mariage de Mme de Tourvel (*L.* 8). Valmont est assez lié avec Danceny pour recevoir ses confidences (*L.* 38). Le château de Mme de Rosemonde pourra donc, le moment venu, rassembler sans invraisemblance la plupart des personnages dans l'univers clos de la tragédie.

La vengeance, puissant ressort de l'action

La vengeance tisse la trame du roman. Au projet de revanche sur Gercourt, exprimé dès la lettre 2 par la marquise de Merteuil, se greffera la vengeance de Valmont à l'égard de Mme de Volanges. Succédera la vengeance de la marquise sur la Présidente et sur Valmont lui-même, avant que les victimes ne soient elles-mêmes vengées par la perte du vicomte.

Le libertin : un être de « projet »

Dès la lettre 4, Valmont confie à Mme de Merteuil « le plus grand projet » qu'il ait jamais formé. Il s'agit, comme on le sait, de la conquête de Mme de Tourvel. Cette entreprise exige énergie, volonté, intelligence et science du cœur humain ; elle implique nécessairement l'action et le succès. Mais cet ardent désir d'entreprendre et de réussir ne permettra au roué de se réaliser pleinement que s'il rencontre l'occasion d'une victoire exemplaire. Il ne peut se contenter d'une victime dont il triompherait trop aisément et par conséquent sans gloire ; comme Don Juan, il s'en prendra donc à une femme vertueuse qui le fascine précisément par l'attrait de la difficulté et de l'inconnu. Valmont, à l'instar de tous les séducteurs de sa trempe, recherche d'abord les obstacles ; la dépravation de l'innocence et le blasphème n'entrent en jeu qu'après coup. Son plaisir est certes de concevoir une stratégie, mais il n'en tire jubilation et jouissance que lorsqu'il parvient à faire coïncider son « projet » avec la réalité, seule apte à le valider. Avant d'être un sensuel, Valmont est d'abord un cérébral.

La lettre 33 : un débat sur le roman épistolaire

Cette lettre de Mme de Merteuil à Valmont revêt une importance particulière : elle introduit en effet, à l'intérieur du roman, un débat sur le genre épistolaire. Si Valmont défend la cause de la lettre (*L.* 34 et *L.* 70) comme un moyen efficace pour séduire et si Danceny la considère comme un « portrait de l'âme » (*L.* 150) capable de transmettre les émotions, Mme de Merteuil lui refuse ici la capacité de toucher les cœurs à distance et reste l'adepte convaincue de la parole vivante, du dialogue en tête-à-tête et de l'action directe. Rompue à l'art de feindre par le discours et par le geste (*L.* 81), elle doute qu'on puisse écrire, en amour, ce qu'on ne sent pas et persuader par le mensonge. Certes, par prudence, elle n'écrit jamais à ses amants, mais surtout elle n'a pas confiance en cette méthode trop indirecte qui exige un talent considérable sans permettre d'être présent, face à son correspondant, au moment de recueillir les fruits éventuels des efforts déployés pour convaincre et séduire.

En fait, Mme de Merteuil aborde ici un problème majeur : elle doute qu'il soit possible d'imiter le ton de la passion vraie. Autrement dit, même un romancier talentueux ne peut rivaliser, dans une lettre fictive, avec les accents que dicte un amour sincère. Laclos, en artiste consommé, se garde sûrement de souscrire à ce scepticisme esthétique : comment croire, en effet, qu'il accepte, en adoptant semblable point de vue, de ruiner sa démarche d'écrivain et son projet romanesque ? *Les Liaisons dangereuses*, en dépit des conceptions de Mme de Merteuil, prouvent magistralement que la littérature peut recréer la vie.

DEUXIÈME PARTIE, LETTRES 51 À 87

RÉSUMÉ

L'omniprésence de la marquise

Cécile est toujours éprise de Danceny, mais, depuis qu'elle s'est confiée à un ecclésiastique, elle a décidé de fuir la présence de son chevalier. Rupture bien éphémère ! La marquise a tôt fait de reprendre les événements en mains et elle ménage, en l'absence de Mme de Volanges, un prétendu rendez-vous d'adieu entre les jeunes gens (*L.* 51). Si Danceny reconquiert le cœur de sa belle (*L.* 55), il est incapable, malgré les conseils de Valmont qui reçoit maintenant ses confidences (*L.* 53), de profiter de la situation qui lui est offerte et d'éveiller la sensualité de Cécile. Mme de Merteuil est exaspérée par ces lenteurs (*L.* 54). Le temps lui est compté : elle doit accomplir sa vengeance avant la date prévue pour le mariage.

Devant cette fâcheuse défaillance de Danceny, la marquise passe elle-même à l'action : elle révèle secrètement à Mme de Volanges les amours clandestines de sa fille (*L.* 59 à 63) et lui conseille d'éloigner Cécile de son soupirant en acceptant l'invitation de Mme de Rosemonde. Valmont regagne alors en hâte le château de sa tante. Il y retrouve Cécile dont il gagne la confiance et dont il facilite la correspondance amoureuse (*L.* 72-73-80-82). En outre, sous le fallacieux prétexte de lui remettre plus aisément les lettres de son chevalier, il demande à Cécile de dérober à sa mère une clef qui ouvre la chambre de la jeune fille (*L.* 84).

La supériorité de la marquise

On ne ressent que mieux, dans cet épisode du roman, la rivalité qui oppose Mme de Merteuil à Valmont. Le vicomte est heureux de piquer l'amour-propre de la marquise en lui narrant par le menu son aventure galante avec la vicomtesse de M… au château de L… et en lui faisant habilement valoir l'excellence de sa méthode en cette occasion (*L.* 71). Mais la marquise ne demeure pas en reste et rappelle sans cesse à Valmont qu'elle lui est supérieure, qu'elle est le véritable metteur en scène de ce qui se passe en ce moment même au château de Mme de Rosemonde et qu'il lui doit tout : « Que vous êtes heureux de m'avoir pour amie ! Je suis pour vous une fée bienfaisante » (*L.* 83 et *L.* 85 ; voir aussi *L.* 74).

D'ailleurs, alors que le vicomte semble incapable de mener à bien la conquête de Mme de Tourvel, Mme de Merteuil va faire une magistrale démonstration de ses capacités et donner à son complice une remarquable leçon de virtuosité. Malgré les conseils de prudence que lui prodigue Valmont (*L.* 70 et 76), elle n'hésite pas à s'attaquer à l'illustre Prévan, libertin consommé (voir « L'histoire des inséparables », *L.* 79) dont elle triomphe avec aisance et qu'elle perd sans scrupule (*L.* 85). Enfin, cette seconde partie, animée par l'activité incessante de la marquise, est couronnée par son étrange et extraordinaire « profession de foi » (*L.* 81).

La séduction à distance

L'entreprise de Valmont auprès de Mme de Tourvel semble se ralentir considérablement au cours de cette séquence du roman. En réalité, l'action n'y est pas inexistante, mais elle a changé de plan ; elle est toute intérieure et le vicomte déploie à fond la seule activité qu'il puisse exercer en l'absence de la Présidente : il lui écrit, il tente de la séduire à distance. Il affirme être revenu de ses erreurs passées (*L.* 52) et avoir enfin découvert, grâce à Mme de Tourvel, le charme de l'amour vrai (*L.* 52) ; il prétend n'avoir jamais été heureux et rend la Présidente responsable de son bonheur à venir (*L.* 58).

En dépit de sa ferme volonté de ne plus correspondre (*L.* 56), Mme de Tourvel est sensible à de tels propos et offre son amitié (*L.* 67) ; certain d'être aimé (*L.* 76), Valmont refuse et s'en tient à l'amour (*L.* 68). Au demeurant, ce libertin n'est guère pressé puisque son « projet [...] est qu'elle sente bien la valeur et l'étendue de chacun des sacrifices qu'elle [lui] fera ; [...] de faire expirer sa vertu dans une lente agonie » (*L.* 70). Il a pu jouir ainsi tout à loisir du trouble violent qui s'est emparé de sa victime lors de son retour impromptu au château de Mme de Rosemonde (*L.* 76 et 78) et il compte bien, malgré les protestations de la Présidente (*L.* 78), profiter de cet avantage pour aller plus avant dans sa conquête ; quand s'achève la seconde partie du livre, il demande qu'on lui accorde un entretien (*L.* 83).

REPÈRES POUR LA LECTURE

La montée des périls

Si la première partie s'achevait par deux lettres parallèles (*L.* 49 et *L.* 50) de Cécile et de Mme de Tourvel signifiant congé à leurs deux soupirants, on apprend, dès l'ouverture de la deuxième partie, que l'une a renoué avec Danceny (*L.* 55) et que l'autre accepte d'entrer une fois encore en relation avec Valmont (*L.* 56). Le libertin a repris le jeu en main et ne tardera pas à triompher. Certes, la Présidente se débat encore et refuse toujours de sacrifier sa « tranquillité » aux émois et aux orages de l'amour, mais elle commence à implorer celui qui la traque : « Cessez donc, je vous en conjure, cessez » (*L.* 56). Elle faiblit peu à peu et perd l'assurance toute cornélienne qu'elle manifestait encore dans les lettres 41 et 50 : « Un sentiment que je ne veux ni ne dois écouter », « un sentiment que je ne dois pas écouter ». L'ultime rempart du cœur cédera bientôt.

Le théâtre du monde

Il convient, pour se faire une idée juste du milieu où évoluent les personnages, de comprendre qu'ils appartiennent à un microcosme aristocratique peuplé de gens à la mode toujours en représentation et en quête d'applaudissements. Il s'agit d'un véritable théâtre qui obéit à des règles strictes, qui possède ses conventions et ses bienséances. S'y joue une tragi-comédie où chacun incarne un rôle : Merteuil et Valmont tiennent le devant de la scène, Mme de Tourvel figure au second rang et le couple Cécile-Danceny au troisième. C'est dans cet univers que se font et se défont les réputations, qu'on gagne ou qu'on perd tout crédit ; ainsi le machiavélisme de la marquise détruira-t-il à jamais le renom de Prévan aux yeux du monde auquel il appartient (*L.* 85).

On saisit mieux dès lors pourquoi Mme de Merteuil a soigneusement préparé son entrée sur ce « grand théâtre » (*L.* 81) qui se confond avec le « Tout-Paris » de l'époque. Les salons à la mode, les cercles de la bonne société réclament de ceux qui les fréquentent des talents de comédien, des aptitudes à l'hypocrisie, un goût si prononcé du masque et du mensonge que toute spontanéité disparaît au profit d'une « seconde nature », factice et artificielle. Personne et personnage ne font plus qu'un.

Une magistrale mise en scène

Dans la lettre 63, Mme de Merteuil s'adresse à Valmont en ces termes : « C'est de vos soins que va dépendre le dénouement de cette intrigue. Jugez du moment où il faudra réunir les acteurs. » On perçoit clairement, à ce stade du roman, les remarquables talents de metteur en scène des deux roués qui feront jouer à leurs pitoyables victimes, pauvres fantoches manipulés comme de dociles marionnettes, le drame pervers qu'ils ont conçu à leur intention. La marquise tient désormais entre ses doigts tous les fils de l'intrigue qu'elle a subtilement tramée : elle a réussi à soumettre Mme de Volanges et sa fille à sa direction de conscience et, tirant parti de l'invitation dont Valmont était chargé (L. 44), elle rassemble tous les acteurs chez Mme de Rosemonde. Consciente de ce tour de force qui en fait l'égale des plus fameux stratèges du libertinage et l'instrument du destin qui réunit trois victimes dans le même huis clos, elle n'hésite pas, au comble de l'orgueil et de la volonté de puissance, à se comparer à une fée, à un ange et même à la Divinité (L. 85).

La lettre 81 : une autobiographie libertine

Cette lettre capitale de Mme de Merteuil à Valmont fait l'objet d'analyses complémentaires dans les pages suivantes, mais son importance est telle qu'il n'est pas inutile de formuler ici quelques remarques préliminaires à son propos. Cessant soudain de s'avancer masquée, la marquise se retourne sur son passé qu'elle analyse avec franchise pour éclairer son correspondant et lui permettre d'évaluer en connaissance de cause la supériorité de sa rivale.

Avant même d'avoir quinze ans, Mme de Merteuil, assoiffée de liberté et ivre de domination, fait l'apprentissage de la lucidité, condition indispensable, selon elle, pour exercer le pouvoir tant sur elle que sur les autres. Ce travail, véritable exercice spirituel d'une étonnante précocité, est conduit comme une étude scientifique qui s'inscrit dans le cadre d'une philosophie matérialiste et sensualiste de l'homme, caractéristique des orientations rationalistes du XVIIIe siècle. Les termes *étude, réflexion, observer, réfléchir, étudier, méditer, mesurer* esquissent la méthode destinée à générer une discipline (*règles, principes*) qui fournira les moyens de se maîtriser et de garder en toutes circonstances, à l'instar des plus grands acteurs, un empire absolu sur ses regards, ses expressions et ses émotions. Cet apprentissage conduit à un véritable savoir, à une authentique science de l'homme. Les mots *savoir, connaître* et *sentir* (au sens de comprendre) attestent que Laclos, marqué par la philosophie de son siècle, place toute sa confiance dans l'intelligence pour élucider les arcanes de la personnalité. La marquise, qui n'a aucune idée des émois et des contradictions intérieures de la Présidente, pense même que le cœur humain ne recèle aucun mystère et que tous les mouvements de l'âme peuvent être illuminés, et donc compris, par la clarté de l'esprit et de ses capacités réflexives. *Les Liaisons dangereuses* sont bien, à cet égard, un livre des Lumières.

TROISIÈME PARTIE, LETTRES 88 À 124

RÉSUMÉ

La dépravation de Cécile

Cécile, non sans réticences (*L.* 88, 89, 92, 93), accepte enfin de s'emparer de la clef qui ouvre la porte de sa chambre (*L.* 94, 95) ; Valmont s'empresse d'en faire exécuter un double. Dès lors, « correspondances, entrevues, rendez-vous nocturnes, tout [devient] commode et sûr » (*L.* 96). Pressé de se venger, de faire payer à la fille les médisances de la mère, le vicomte ne tarde pas à s'introduire de nuit dans la chambre de la petite Volanges qui résiste à peine et se laisse dépraver avec une facilité déconcertante (*L.* 96). Mais, le lendemain, effleurée par l'ombre d'un scrupule, Cécile refuse de recevoir Valmont (*L.* 99), écrit à Mme de Merteuil et prend conseil auprès d'elle (*L.* 97) ; elle reçoit naturellement une réponse qui l'invite à s'abandonner sans honte aux plaisirs de l'amour (*L.* 105). Les avis de la marquise seront suivis à la lettre : Valmont reprend ses visites galantes (*L.* 100) et met toute sa science à corrompre la jeune fille (*L.* 110).

Cependant, un événement inattendu survient, qui risque de compromettre la vengeance des deux roués : préoccupée par la mine fatiguée et alanguie de sa fille, persuadée qu'elle est minée par son amour contrarié pour Danceny, Mme de Volanges, qui ne soupçonne rien des ébats nocturnes de Cécile, veut reprendre la parole donnée à Gercourt, annuler le mariage et accepter le chevalier pour gendre (*L.* 98). Toutefois, Mme de Merteuil, qui a reçu ses confidences, a tôt fait, au nom de l'amour maternel et de la sagesse, d'inciter Mme de Volanges à abandonner ce projet si contraire à l'accomplissement de ses intentions machiavéliques. Cécile restera donc encore à la merci de Valmont qui aura d'autant plus le temps de parachever son œuvre corruptrice que le retour de Gercourt est retardé par un voyage en Italie (*L.* 111). D'ailleurs, le vicomte a déjà obtenu un résultat certain puisque la petite Volanges est enceinte et qu'elle l'ignore (*L.* 116).

La fuite de la Présidente

Mme de Tourvel refuse l'entretien sollicité par Valmont. Elle lui demande de partir, mais, profondément émue par le retour de son séducteur, elle reconnaît implicitement l'amour qu'elle lui porte et qu'elle tente, à bout de forces, de combattre encore (voir *L.* 90). Pourtant, ce tête-à-tête, obstinément réclamé (*L.* 91) et obstinément refusé, finit, grâce au hasard, par avoir lieu : le vicomte et Mme de Tourvel se rencontrent fortuitement au moment même où celle-ci pénètre dans son appartement. Valmont entre sans difficulté chez la Présidente qui s'abandonne peu à peu, tombe dans ses bras, mais se ressaisit et se dégage brusquement, en proie à un douloureux combat intérieur. Le vicomte se refuse alors à tenter quoi que ce soit. Il a d'ailleurs tout lieu de se féliciter de sa prudence puisque, le soir même, Mme de Tourvel reparaît au salon, fait preuve d'obligeance à son endroit et presse même fortement sa main avant de se retirer (*L.* 99). Valmont, convaincu de son emprise sur la Présidente, chante déjà victoire dans une lettre qu'il adresse à Mme de Merteuil (*L.* 99). Mais, le lendemain, sa déconvenue est à la mesure de ses espérances de la veille : Mme de Tourvel a quitté le château de Mme de Rosemonde et regagné son hôtel parisien (*L.* 100).

Irrité de s'être laissé surprendre, le vicomte envoie immédiatement son chasseur, Azolan, espionner chez la Présidente qui a cherché son salut dans la fuite et qui, condamnant sa porte, s'enferme dans une solitude où sa passion désormais pleinement avouée ne fait que s'exacerber (*L.* 102 et 108). Valmont, qui fait intercepter les lettres de Mme de Tourvel, connaît donc maintenant l'ampleur de son pouvoir. Il ne cherche plus qu'à préparer la manœuvre finale qui consacrera la chute de celle qu'il a séduite. Feignant de vouloir mettre un terme à ses assiduités amoureuses et sous le prétexte de remettre à Mme de Tourvel en personne la correspondance qu'elle lui a adressée, il utilise les bons offices du Père Anselme (*L.* 120), complice bien involontaire ; grâce à la caution morale de l'homme d'Église, l'ultime entretien est accordé (*L.* 123) et la Présidente ne doute pas un instant de la sincérité du vicomte (*L.* 124).

Premières escarmouches

Mme de Merteuil, quand elle apprend la fuite de la Présidente, persifle cruellement Valmont (*L.* 106), prodigue ses conseils sur un ton supérieur et doctoral (*L.* 113), marque enfin son indépendance en jetant son dévolu sur Danceny qui répond avec empressement aux avances discrètes qui lui sont faites (*L.* 116, 118, 121). Le vicomte est irrité par le choix de la marquise (*L.* 115). Il sent bien, en effet, que Mme de Merteuil risque de lui échapper, de ne pas respecter les termes du marché qu'elle a conclu : se livrer à lui dès que la Présidente aura enfin cédé à ses avances. Les deux complices ne tarderont plus à s'affronter à visage découvert.

REPÈRES POUR LA LECTURE

Une action recentrée

Si les diverses péripéties de la deuxième partie du roman ont essentiellement lieu à Paris, cadre urbain des épisodes dont Émilie, Prévan et la marquise sont les protagonistes, l'action, dès l'ouverture de la troisième partie, se déplace à la campagne dans le château de Mme de Rosemonde, où, avec l'arrivée de Mme de Volanges, de sa fille et de Valmont, se resserrent les nœuds de l'intrigue et se concentrent les enjeux de l'entreprise conduite par le libertin : la dépravation de Cécile et la séduction de Mme de Tourvel.

L'ultime résistance de la Présidente

La correspondance entre Mme de Tourvel et Valmont s'était quelque peu espacée, mais elle reprend à l'initiative de la Présidente (L. 90). Il s'agit d'ailleurs moins d'une réponse à la lettre du 23 septembre (L. 83) qu'une nouvelle prière faite à Valmont de s'éloigner, non sans lui offrir cependant une « amitié tendre » qui laisse entrevoir la passion qui couve inexorablement dans le cœur de la dévote. Celle-ci, malgré la fuite inopinée où elle croit trouver le salut (L. 100), finira, comme on le pressent déjà, par capituler et céder aux assiduités du libertin. Il y a en effet des aveux qui ne trompent pas, surtout un psychologue aussi averti que Valmont : « Sans jamais parvenir à vous dire ce que je veux, je passe mon temps à écouter ce que je ne devrais pas entendre » (L. 90). Existe-t-il témoignage plus explicite d'une volonté qui rend les armes ?

Les enfantillages d'une ingénue libertine

La lettre 109 de Cécile à Mme de Merteuil illustre pertinemment la « faiblesse de caractère » et la « facilité de bêtise » que la marquise blâmait chez la petite Volanges (L. 106). En dépit de ses nouvelles expériences, qui auraient dû en principe la mûrir et modifier sa perception des choses, Cécile reste stupidement égale à elle-même et fidèle à ses habituels enfantillages. Ce qu'elle vient de vivre ne lui inspire que des commentaires d'une piètre platitude (l'adverbe *bien* revient dix-neuf fois dans la lettre 119 !) ou que des propos d'un cynisme aussi naïf que désarmant : « Il faut avouer qu'il y a bien du plaisir », « c'est que M. de Valmont est bien aimable ! » Créature aussi ingénue que sensuelle, Cécile développe, dans les bras de son pervers initiateur, sans retenue et sans réflexion, ses aptitudes naturelles à la volupté et devient rapidement une courtisane accomplie. Les termes dont elle usait naguère encore à propos de Danceny sont reportés sur Valmont dont elle redoute, docile et peureuse enfant, qu'il soit « fâché » ou qu'il la « gronde ».

Mme de Merteuil et Valmont : deux maîtres dans l'art du pastiche

Passés maîtres dans l'art épistolaire, les deux roués non seulement disposent chacun d'un style qui leur est propre, mais ils savent aussi changer de ton en fonction des destinataires de leurs lettres ; ils imitent aussi à la perfection, quand il le faut, la manière d'écrire de tel ou tel personnage. Par exemple, la marquise, quand elle s'adresse à Mme de Volanges (*L.* 104), passe avec une rare aisance du langage du vice à celui de la vertu : elle se métamorphose en dévote, se fait l'avocat de la morale la plus conventionnelle et use d'une langue stéréotypée, émaillée de clichés rebattus sur le mariage (« ce lien indissociable et sacré »), sur l'amour qui n'est qu'« ivresse, aveuglement, goût frivole », sur les « principes inaltérables de pudeur, d'honnêteté et de modestie ». Autant dire que Mme de Merteuil, virtuose du style, réussit, pour gagner sa confiance, à imiter la phraséologie de sa correspondante qu'elle dupe avec d'autant plus d'aisance qu'elle lui renvoie, au miroir de son épître, sa propre et par conséquent rassurante image. On ne peut qu'admirer – au plan esthétique du moins – l'étincelant brio de ce Tartuffe en jupon.

Valmont, en ce domaine, n'a rien à envier à sa complice. Sa lettre au Père Anselme (*L.* 120) est un chef-d'œuvre qui rivalise aisément avec celui de Mme de Merteuil. Le libertin adopte d'emblée, avec un naturel peu commun, l'onction ecclésiastique. Son style, d'ordinaire si nerveux et si avare de termes inutiles ou convenus, s'alourdit d'adjectifs qui confèrent au discours un tour emphatique et ampoulé : « votre saint ministère », « l'humiliant aveu », « mes longs égarements », « le touchant spectacle ». On retrouve autant de poncifs dans l'usage des adverbes : « confiance dignement placée », sentier que Valmont « désire bien ardemment de suivre ». Bref, l'imitation de l'éloquence dévote est si parfaite qu'elle fera mouche et que le bon Père jouera sans le savoir les entremetteurs…

Mais le vicomte démontre mieux encore sa maîtrise stylistique et sa remarquable capacité de pasticheur quand il prête sa plume à Cécile dont il contrefait avec aisance l'insipide radotage (*L.* 117, de Cécile à Danceny, dictée par Valmont). Les mots enfantins dont abuse d'ordinaire la jeune fille sont systématiquement réutilisés par le faussaire : *gronder, affliger, peine, chagrin, fâcher, triste*, etc. ; l'adverbe *bien*, qui encombre d'habitude la prose de Cécile, revient huit fois, particulièrement dans les creuses et banales réflexions morales dont la petite Volanges se contente à l'accoutumée : « Oh ! cela n'est pas bien », « ce que vous voulez est bien mal ». Valmont, qui connaît parfaitement son modèle, n'a pas manqué non plus de reprendre fréquemment le pronom *cela*, de truffer enfin la lettre en question d'exclamations puériles (« oh ! ») et de formules empruntées au style familier du langage parlé : « Tenez », « Écoutez ». La performance de l'exercice de style est ici peut-être plus brillante que dans les exemples précédents puisque le rédacteur effectif de la lettre, esprit fin et cultivé, à l'éducation achevée et raffinée, doit réussir à penser et à rédiger naïvement, à la manière d'une enfant inculte dont l'intelligence est de surcroît peu déliée.

QUATRIÈME PARTIE, LETTRES 125 À 175

RÉSUMÉ

La victoire de Valmont

Valmont, une dernière ruse aidant, s'introduit chez Mme de Tourvel. Entré chez elle « en esclave timide et repentant », il en ressort « en vainqueur couronné » (*L.* 125). Sa dernière bataille, en effet, a été magistralement livrée et, grâce à sa « pureté de méthode » (*ibid.*), sa victime finit par s'abandonner : « L'ivresse fut complète et réciproque » (*ibid.*).

Toutefois, le bonheur de Mme de Tourvel est de courte durée. Pour se persuader qu'il n'aime pas la femme qu'il vient de séduire et surtout pour en administrer la preuve à Mme de Merteuil, le vicomte passe une soirée avec Émilie (*L.* 138). Or, dans un embarras de voiture, à la sortie de l'Opéra, Mme de Tourvel surprend Valmont en compagnie de cette fille de petite vertu. Douloureusement touchée, la Présidente refuse de revoir Valmont (*L.* 135-136). Cependant, celui-ci réussit à se disculper (*L.* 137 et 139) et la confiance momentanément perdue lui est rendue.

Les exigences de la marquise

Fort de son succès et conformément à ce qu'elle avait promis (voir *L.* 20), le vicomte s'empresse de réclamer à Mme de Merteuil le prix de sa victoire : « [...] renvoy[ez] votre pesant Belleroche et laissez là le doucereux Danceny, pour ne vous occuper que de moi » (*L.* 125). Mais la marquise se dérobe ; elle ne peut supporter la désinvolture de Valmont qui lui propose de venir recevoir sa récompense tout en poursuivant ses relations avec la Présidente (*L.* 127). Elle surseoit donc à leurs retrouvailles et ne cache pas au vicomte qu'elle n'éprouve plus pour lui les mêmes sentiments qu'autrefois. Enfin, elle pique son amour-propre en faisant vaguement allusion à des sacrifices qu'il ne serait pas capable de faire pour elle (*L.* 131).

Jalouse de Mme de Tourvel et de l'amour qu'elle inspire à Valmont (*L.* 131), Mme de Merteuil a hâte que le coup de grâce soit porté à sa rivale. Elle rédige elle-même une lettre de rupture (*L.* 141) qu'elle remet au vicomte : « On s'ennuie de tout, mon Ange, c'est une loi de la Nature ; ce n'est pas ma faute. Si donc je m'ennuie aujourd'hui d'une aventure qui m'a occupé entièrement depuis quatre mortels mois, ce n'est pas ma faute [...] ». Espérant reconquérir ainsi les faveurs de sa complice, Valmont n'hésite pas à envoyer le billet fatal à la Présidente. Alors qu'un cri de douleur s'échappe du cœur de Mme de Tourvel (*L.* 143), la marquise, enivrée par son triomphe, fière de sa vengeance, se découvre d'un grand geste : « Ce n'est pas sur elle [Mme de Tourvel] que j'ai remporté cet avantage ; c'est sur vous » (*L.* 145) et, sans plus attendre, elle se livre à Danceny (*L.* 146, 148, 150).

La guerre

C'en est trop. Le vicomte n'est pas homme à se laisser impunément jouer. Il lance un ultimatum : « Je serai votre amant ou votre ennemi » (*L.* 153) ; Mme de Merteuil choisit : « Hé bien ! la guerre » (*ibid.*). Dressés face à face, les deux roués s'affrontent ouvertement et se livrent un combat sans merci. Valmont frappe le premier : il rapproche habilement Danceny de Cécile. Le jeune homme fait même faux bond à Mme de Merteuil qui l'attend en vain toute une nuit (*L.* 155 à 158). Furieuse, la marquise n'apprécie pas cette « mauvaise plaisanterie » (*L.* 159) dont elle se venge sur-le-champ : elle dévoile à Danceny le double jeu du vicomte. Le chevalier provoque Valmont en duel (*L.* 162). Blessé à mort, le vicomte, avant d'expirer, remet à Danceny les lettres de sa complice (*L.* 163) ; deux d'entre elles vont circuler et révéler au grand jour la perfidie de la marquise qui achève ici sa sinistre carrière. Évitée par tout le monde, défigurée par la petite vérole (*L.* 173), ruinée par un procès perdu, Mme de Merteuil prend la fuite vers la Hollande (*L.* 175).

Épilogue

Un billet anonyme conseille à Danceny de s'éloigner (*L.* 167) ; il se fixe à Malte (*L.* 175). Cécile qui a fait une fausse couche (*L.* 140) se réfugie dans un monastère et manifeste le désir d'entrer dans les ordres (*L.* 170). Enfin, Mme de Tourvel, isolée dans un couvent (*L.* 144) depuis la terrible lettre de rupture, tombe malade (*L.* 147, 149, 160, 161) et meurt en apprenant la mort de Valmont (*L.* 165).

REPÈRES POUR LA LECTURE

« Jugez-moi donc comme Turenne ou Frédéric » (*L.* 125)

Séducteur orgueilleux jusqu'à la mégalomanie, Valmont, après s'être naguère comparé à Alexandre le Grand (*L.* 15), s'identifie désormais, une fois la Présidente tombée dans ses rets, aux plus fameux conquérants des temps modernes. De telles rodomontades, au-delà de la pose ou de l'affectation, traduisent en fait une réalité psycho-sociologique. En effet, l'analogie entre les exploits des champs de bataille et la guerre des sexes n'a jamais été plus marquée et n'a jamais mieux révélé une réalité historique que sous le règne de Louis XVI, où les nobles, privés d'actions martiales, remplacent la gloire conquise au fil de l'épée par celle remportée de haute lutte dans les alcôves. On assiège la vertu comme on prend une place forte. La geste d'amour se substitue à la geste militaire et les intrigues de boudoir occupent le soldat désœuvré.

Le féminisme dans *Les Liaisons dangereuses*

Si *Les Liaisons dangereuses* peuvent être considérées comme un roman féministe, c'est moins par le projet de Mme de Merteuil de prendre une revanche sur les hommes que par l'évocation de l'« amour véritable » faite par Mme de Rosemonde dans la lettre 130. Attachée aux valeurs de la préciosité qui ont dans sa jeunesse marqué son éducation, Mme de Rosemonde rappelle avec nostalgie à Mme de Tourvel l'amour pur et parfait célébré par la galanterie d'autrefois. Elle démontre surtout la supériorité éminente de la femme en matière de sentiment : elle seule connaît l'amour vrai, celui qui implique avant tout le bonheur de l'être aimé. Il s'agit naturellement de la femme tendre qui, à l'opposé de la créature dépravée, privilégie les mouvements du cœur et ne consent aux émois physiques que s'ils s'accordent harmonieusement au consentement de l'âme. Ainsi, « l'homme jouit du bonheur qu'il ressent, et la femme de celui qu'elle procure » (*L.* 130). Les sens comptent peu pour ces femmes délicates (telle Mme de Tourvel) ; leur conception supérieure des relations amoureuses les place d'emblée bien au-delà, sinon bien au-dessus, de l'égoïsme des désirs masculins.

La lettre de rupture (*L.* 141)

Laclos n'est pas le premier à insérer dans un roman une lettre de rupture : Duclos (1704-1772), par exemple, l'a fait avant lui. C'est, à la fin du XVIIIe siècle, un lieu commun de la littérature épistolaire. Comme dans *Les Liaisons*, elle est fréquemment dictée à un amant trop scrupuleux ou trop pusillanime pour la rédiger seul. Mais Laclos, à la différence de ses devanciers, excelle dans cet exercice qui se transforme sous sa plume en un « poème cynique et brutal[1] ». La puissance de ce billet provient de son rythme mécanique, de l'aridité de son style et du choix des termes qui causeront à coup sûr d'atroces blessures à sa destinataire. L'amour y est cruellement

---

1. Laurent Versini, in Laclos, *Œuvres complètes*, Paris, Gallimard, « Bibliothèque de la Pléiade », 1979, p. 1378, note 1.

ramené au plaisir grossièrement sensuel et Mme de Tourvel rabaissée au rang d'une vulgaire courtisane. « Il est [cependant] surprenant, écrit Laurent Versini, que Valmont n'aperçoive pas combien il est peu ménagé lui-même, après avoir été assimilé à un sot, par ces excuses lamentables, par ce refrain piteux, et surtout par l'aveu de sa soumission à cette "femme qu'[il] aime éperdument". Car la marquise ne résiste pas à la tentation de signer sa lettre, amour-propre gratuit de metteur en scène qui échappera à la Présidente[1]. »

Le destin catastrophique de la marquise

Une série de lourdes catastrophes accablent finalement Mme de Merteuil. Outre la perte de son procès et la ruine, elle est victime de la petite vérole, terrible épidémie qui affecte cruellement tout le XVIIIe siècle. Mais, dans le roman, cette maladie qui défigure la marquise symbolise la fatalité et réintroduit le destin d'ordinaire à l'œuvre dans la tragédie. À l'instar des principes de la dramaturgie classique, le sort des personnages, quand se dénoue l'action, doit être ici scellé par une catastrophe générale : à la mort de Valmont et de Mme de Tourvel, à la fuite de Cécile au couvent et à l'exil de Danceny « correspond la triple disgrâce de la marquise, indispensable pour compenser une survie qui devient le pire des châtiments. On doit voir là des conventions esthétiques plus que morales, sans oublier la nécessité d'un dénouement inscrit dès le début dans la rivalité des méchants et précipité par leur brouille complète[2] ».

---

1. *Ibid.*, p. 1378-1379.
2. *Ibid.*, p. 1410, note 3.

DEUXIÈME PARTIE

Problématiques essentielles

1 | Pourquoi lit-on *Les Liaisons dangereuses* ?

UN ROMAN SCANDALEUX

Les Liaisons dangereuses parurent en mars 1782 et connurent immédiatement un immense succès de scandale. Généralement offusqué, le public lettré réagit violemment, mais subit le charme fascinant d'une œuvre dont il pressentait le caractère exceptionnel. Dès le 21 avril, en effet, Laclos signait une nouvelle édition et de multiples contrefaçons – signes évidents du succès – étaient mises en circulation.

Les critiques du temps sont avant tout préoccupés par l'aspect moral de l'ouvrage et ne cachent pas leur épouvante devant les mœurs dissolues, les rou019eries et les dépravations du couple fatal Valmont-Merteuil. On éprouve alors le sentiment qu'un point culminant, qu'un degré absolu et paroxystique dans le mal vient d'être atteint par le romancier et on a peine à croire que Laclos, en peignant de tels vices et de tels débordements, ait pu faire, comme il le prétend, œuvre de moraliste. Si Moufle d'Angerville et Meister, rédacteurs à la *Correspondance* de Grimm[1], louent sans réserve la vigueur, le naturel, la hardiesse et l'esprit dans la peinture des caractères, l'abbé Grosier, journaliste à l'*Année littéraire*, successeur de Fréron, ne cache pas son effroi devant les portraits brossés par Laclos : « La défaite de la Présidente fait horreur, c'est l'enfer même avec tous ses mauvais génies, ouvert pour engloutir sa proie », « Mme de Merteuil dégoûte autant qu'elle effraie[2] ». Cette réaction

---

1. Voir *Œuvres complètes* de Choderlos de Laclos, édition Maurice Allem, Paris, Gallimard, « Bibliothèque de la Pléiade », 1967, Appendices, p. 698 et suivantes.
2. Cité par A. et Y. Delmas, *op. cit.*, p. 9.

fut générale dans l'opinion et venait surtout des femmes. L'une d'elles, auteur dramatique et romancière connue, Mme Riccoboni, écrivit à Laclos : « C'est en qualité de femme [...] de Française, de patriote zélée pour l'honneur de ma nation, que j'ai senti mon cœur blessé du caractère de madame de Merteuil[1]. » Laclos tenta de se justifier dans une série de lettres qui constituent un plaidoyer habile, mais il ne réussit pas à convaincre sa correspondante et l'opinion tout entière persista à considérer *Les Liaisons dangereuses* comme l'ouvrage le plus scandaleux de la littérature romanesque.

La société décrite par Laclos refusa donc de se reconnaître dans les principaux personnages du roman. Elle qualifia Valmont et Merteuil de monstres et se détourna de l'auteur lui-même qu'elle considéra comme un véritable corrupteur. On a souvent rappelé que la reine Marie-Antoinette, par un sentiment de pudeur, ne fit reproduire ni le nom de l'auteur ni le titre du roman sur la reliure de l'exemplaire des *Liaisons dangereuses* qu'elle possédait. On a aussi fréquemment rappelé, d'après les *Mémoires* de Tilly, que la marquise de Coigny – future amie du duc de Lauzun – fit fermer sa porte à Laclos et qu'elle déclara à ce propos : « Je n'y suis plus pour lui ; si j'étais seule avec lui j'aurais peur. »

Cette attitude devait persister longtemps encore. *Les Liaisons dangereuses* furent considérées comme un livre scandaleux jusqu'au milieu du XIXe siècle. Les gouvernements en proscrivirent même la vente et la diffusion : un jugement du tribunal correctionnel de la Seine du 8 novembre 1823, confirmé par un arrêt de la Cour royale de Paris du 22 janvier 1824, ordonna « la destruction de cet écrit dangereux [...] pour outrage aux bonnes mœurs ». En 1865 encore, plusieurs éditeurs et libraires furent condamnés par le tribunal correctionnel de la Seine pour avoir publié ou vendu le roman de Laclos. Malgré tout, Nerval, Baudelaire, les Goncourt, Taine ont parlé plus ou moins longuement des *Liaisons*. Toutefois, c'est à partir de 1880 que les études critiques consacrées à Laclos se multiplièrent et que

---

1. *Œuvres complètes* de Choderlos de Laclos, édition Maurice Allem, *op. cit.*, p. 689.

d'innombrables rééditions de son œuvre virent le jour. En 1890, Paul Bourget reprenait le problème en ces termes : « C'est un procès littéraire à réviser, car si le livre est périlleux, comme tous ceux où les passions sont trop profondément étudiées, il n'est pas immoral et il ne pouvait pas l'être[1]. »

Aujourd'hui, ce procès est gagné. *Les Liaisons dangereuses* ont perdu leur scandaleuse auréole. On les lit et on s'accorde généralement avec André Gide pour y voir l'un des plus grands et l'un des meilleurs romans de la langue française[2].

UN ROMAN RÉVOLUTIONNAIRE ?

L'intérêt qu'on porte aux *Liaisons dangereuses* est d'autant plus vif qu'on n'a pas craint de leur conférer une dimension révolutionnaire. Tilly a été le premier, en 1804, à révéler cet aspect de l'œuvre. Pour lui, Laclos participe à une « vaste conspiration[3] » et son livre est « un des flots révolutionnaires qui a (*sic*) tombé dans l'océan, qui a submergé la cour[4] », « un des mille éclairs de ce tonnerre [...] un de ces météores désastreux qui ont apparu sous un ciel enflammé, à la fin du XVIIIe siècle[5] ».

Cette interprétation a été reprise par plusieurs critiques ; Baudelaire, par exemple, voit dans *Les Liaisons* un « livre d'histoire [...] livre de sociabilité, terrible[6] ». Pour Émile Dard, biographe du romancier, *Les Liaisons* sont un « pamphlet politique[7] » inspiré à Laclos par sa colère contre les grands : « Il voulait [...] lapider les grands seigneurs, ces vils parasites qui s'étaient emparés du gouvernement et accaparaient toutes les places[8]. » Enfin, Roger Vailland a amplifié cette thèse ; selon

---

1. *Sensations d'Italie*, Paris, Lemerre, 1891, p. 294-295.
2. *NRF*, 1er avril 1913.
3. *Œuvres complètes* de Choderlos de Laclos, édition Maurice Allem, *op. cit.*, Appendices, p. 710.
4. *Ibid.*
5. *Ibid.*
6. *Ibid.*, p. 714 et 716.
7. *Le Général Choderlos de Laclos, auteur des Liaisons dangereuses*, Paris, Perrin, 1905, p. 30.
8. *Ibid.*

lui, le livre de Laclos est un grand livre parce qu'il est la peinture réaliste d'une classe sociale à la veille de sa chute. Dans cette hypothèse, Laclos n'est pas Valmont : « C'est l'ennemi de classe des Valmont[1] » et son roman est « une bombe destinée [...] à servir d'arme à la bourgeoisie, classe montante, contre l'aristocratie, classe privilégiée[2] ». D'après ces commentaires, la bonne société a récusé le roman parce qu'elle avait le sentiment d'y être attaquée, en tant que classe, par un ennemi plus que par un moraliste épris de vertu.

Aussi séduisante qu'elle puisse paraître, cette interprétation n'est guère satisfaisante. Bien sûr, on ne saurait oublier que *Les Liaisons dangereuses* ont paru sept ans avant la Révolution et on ne saurait nier l'intérêt historique qui les caractérise. Toutefois, les affirmations de Rogar Vailland reposent sur un argument fallacieux. Celui-ci croit trouver une preuve de ce qu'il avance dans le fait que Mme de Tourvel, seul personnage vertueux du roman et victime du vicomte de Valmont, appartient, non à l'aristocratie, mais à la grande bourgeoisie. Or, il est incontestable que Mme de Tourvel fait partie du même monde que les autres personnages. En effet, et René Pomeau l'a pertinemment fait remarquer[3], on voit la Présidente quêter dans la très aristocratique église Saint-Roch en présence d'une assistance très choisie, où Valmont et Mme de Merteuil ont pris place. Ensuite, c'est Mme de Volanges qui a préparé le mariage de Mme de Tourvel (*L*. 8). Enfin, le président de Tourvel n'est pas du tout, comme l'écrit Vailland, un « simple magistrat[4] ». Un président à mortier du Parlement de Paris est un personnage très important qui se situe parmi les degrés les plus élevés de l'échelle sociale. René Pomeau rappelle fort justement qu'« en 1780, la solidarité entre les deux aristocraties d'épée et de robe venait de se resserrer encore : les parlementaires s'étaient illustrés dans la défense des privilèges en faisant échouer la réforme des parlements Maupeou ; à son avènement, Louis XVI avait

---

1. *Laclos par lui-même*, Paris, Le Seuil, 1953, p. 8.
2. *Ibid.*
3. « D'*Ernestine* aux *Liaisons dangereuses* : le dessein de Laclos », *Revue d'histoire littéraire de la France*, mai-août 1968, p. 619-620.
4. *Ibid.*, p. 620.

rappelé les anciens parlements (auxquels évidemment appartient le président de Tourvel), victoire du parti aristocratique[1] ».

Par ailleurs, Valmont n'occupe pas, comme on le prétend parfois, le sommet de la hiérarchie sociale : on sait qu'il est d'« illustre maison », qu'il est « l'héritier d'un beau nom » et qu'il porte le titre de vicomte. Ces quelques données livrées par le romancier ne peuvent en aucun cas nous permettre de le situer dans la noblesse des ducs et pairs qui constitue l'entourage immédiat du roi. Valmont n'appartient pas non plus, comme l'affirme Émile Dard, à ceux qui « s'étaient emparés du gouvernement et accaparaient toutes les places » : il n'occupe aucune charge officielle et, au cours des cinq mois que dure l'action romanesque, on ne le retrouve qu'une seule fois à Versailles (*L.* 53).

On voit donc que la thèse qui prétend faire des *Liaisons dangereuses* une arme révolutionnaire repose en fait sur des bases bien fragiles ou sur de fausses données dues à une lecture hâtive ou partiale. « Il est sans doute normal, écrit J.-L. Seylaz, qu'un historien s'intéresse aux *Liaisons* comme à une œuvre prérévolutionnaire : elles reflètent un relâchement des mœurs, un libertinage aristocratique, qui constituent un facteur sociologique susceptible d'expliquer en partie les origines de la Révolution ou son succès. Mais c'est surestimer la portée révolutionnaire des *Liaisons* que d'en faire la clé du livre, l'explication de sa violence et de son retentissement[2]. »

---

1. *Ibid.* Confronté à l'esprit de caste et aux préjugés aristocratiques des magistrats, le chancelier Maupeou (1714-1792) avait procédé, en 1771, à une réforme de l'institution judiciaire qui supprimait les anciens parlements et les remplaçait par de simples tribunaux. Mais le vieux corps parlementaire était tellement lié à l'ordre monarchique que Louis XVI le rétablit dès son avènement (1774).
2. *Les « Liaisons dangereuses » et la création romanesque chez Laclos,* Genève, Droz ; Paris, Minard, 1965, p. 88.

2 | La classification des personnages

LES ROUÉS

Valmont

Un cynique sans scrupules

Mme de Volanges, dans la lettre 9, brosse le portrait du vicomte de Valmont : « Encore plus faux et dangereux qu'il n'est aimable et séduisant, jamais, depuis sa plus grande jeunesse, il n'a fait un pas ou dit une parole sans avoir un projet, et jamais il n'eut un projet qui ne fût malhonnête ou criminel. » Mais est-il nécessaire de s'en rapporter à cette description ? La conduite de Valmont envers Cécile et Mme de Tourvel ne suffit-elle pas à mettre en pleine lumière l'attitude, les tendances et les goûts du personnage ? Le vicomte est un « méchant » : il a choisi de faire le mal pour le mal, gratuitement, de le réaliser méthodiquement, avec froideur. Il est d'une grande habileté et ne s'embarrasse d'aucun scrupule quand il s'agit pour lui d'arriver à ses fins. On se souvient, par exemple, comment il réussit à obtenir subtilement la clef que Cécile tarde à lui remettre, comment il excelle dans l'art de jouer la comédie de la maladie ou du désespoir, comment il parvient à utiliser fort judicieusement les services du Père Anselme pour obtenir de la Présidente un rendez-vous décisif. On n'a pas oublié non plus qu'il n'hésite pas un instant à entrer dans le lit d'une jeune fille endormie, à fouiller un secrétaire, à regarder par un trou de serrure, à falsifier le cachet de la poste et à intercepter des lettres.

Valmont est-il libre ?

Fier de ses capacités et de ses exploits, Valmont se glorifie de sa « pureté de méthode », demande à être jugé « comme Turenne et Frédéric » (*L.* 125). Il est vrai qu'il fait figure de très avisé stratège du libertinage et qu'il mène avec une grande lucidité et une incomparable maîtrise la conquête des femmes qu'il a désignées comme victimes. Mais Mme de Merteuil, encore plus perspicace et ingénieuse que lui, nous offre une autre image du vicomte :

> [...] vous n'avez pas le génie de votre état ; vous n'en savez que ce que vous en avez appris et vous n'inventez rien. Aussi, dès que les circonstances ne se prêtent plus à vos formules d'usage, et qu'il vous faut sortir de la route ordinaire, vous restez court comme un écolier (*L.* 106).

La marquise est persuadée que Valmont n'est pas aussi libre qu'il l'affirme, puisque son libertinage est fondé sur un système de considérations *a priori* incapable de s'adapter à des circonstances imprévues et de mettre en danger une femme qui a l'expérience du monde : « Qu'il est commode d'avoir affaire à vous autres gens à principes ! [...] votre marche réglée se devine si facilement ! » (*L.* 85). Valmont reconnaît d'ailleurs implicitement le bien-fondé des critiques qui lui sont adressées : il fait souvent part de ses difficultés et de son embarras à sa complice et on le voit même recourir en vain à un procédé « ridiculement livresque[1] » pour précipiter les événements et accélérer la conquête de la Présidente :

> Depuis huit jours, je repasse inutilement tous les moyens connus, tous ceux des Romans et de mes Mémoires secrets ; je n'en trouve aucun qui convienne, ni aux circonstances de l'aventure, ni au caractère de l'héroïne (*L.* 110).

Mais il y a plus encore. On considère parfois, Roger Vailland par exemple[2], que « le choix » constitue la première figure du ballet libertin. Or, Valmont, à proprement parler, ne choisit jamais les femmes qui doivent entretenir des relations avec lui. La vicomtesse de M... est une ancienne maîtresse et il n'y a guère de mérite à renouer avec

---

1. Henri Coulet, *Le Roman jusqu'à la Révolution*, Paris, Armand Colin, 1967, p. 474.
2. Voir *Laclos par lui-même*, *op. cit*, p. 81 et suivantes.

elle ; Émilie est une fille de joie : il n'y a pas à la séduire ; Cécile lui est apportée par l'occasion et elle tombe dans un piège préparé par Mme de Merteuil. En dépit des apparences, Valmont jouit donc d'une liberté et d'une autonomie relativement limitées. Il ne s'agit même plus, avec Mme de Tourvel, de pur libertinage puisque le choix du vicomte n'est pas gratuit et qu'il est soumis au déterminisme de l'affectivité.

Un libertin pris au piège de l'amour

En effet, en présence de la Présidente, notre roué est en proie à un sentiment qu'il ne peut plus dominer :

> Je n'ai plus qu'une idée ; j'y pense le jour, et y rêve la nuit, s'écrie-t-il. J'ai bien besoin d'avoir cette femme, pour me sauver du ridicule d'en être amoureux (*L.* 4).

Tout au long de sa tentative de séduction sur Mme de Tourvel, Valmont n'est pas totalement maître de lui ; il doit lutter contre les éléments irrationnels et instinctifs qui le menacent en permanence. C'est en face de Mme de Merteuil qu'il prend conscience de cette tentation, de ce retour en force du sentiment au moment même où il s'en croit libéré. Valmont en face de la marquise, c'est Valmont en face de lui-même et de sa conscience de libertin. Dès la lettre 10, Mme de Merteuil a posé son diagnostic : « Vous êtes amoureux » et le vicomte de le reconnaître :

> En effet, si c'est être amoureux que de ne pouvoir vivre sans posséder ce qu'on désire, d'y sacrifier son temps, ses plaisirs, sa vie, je suis bien réellement amoureux (*L.* 15).

Au fond, il y a deux forces antagonistes qui s'affrontent chez ce personnage : le libertinage froid et calculateur auquel s'oppose la douce émotion de l'amour engendré par Mme de Tourvel. Aussi, plus Valmont sentira le poids et la gravité de la tentation amoureuse, plus se développera en lui la force de réaction. Chaque fois que les faiblesses du sentiment risquent de s'imposer, outre l'examen de conscience et l'antidote à l'amour que sont pour lui les lettres qu'il adresse à Mme de Merteuil, le vicomte met en œuvre des procédés libertins : la lettre faussement timbrée de Dijon, la première entrevue avec Émilie et la lettre écrite au lit sur le dos de la danseuse, la séduction de Cécile, la deuxième rencontre avec Émilie constituent pour lui autant de thérapeutiques qui l'aident à combattre les influences incontrôlées du cœur.

Que faut-il alors penser de l'affirmation qu'on peut lire à la première ligne de la lettre 138 : « Non, je ne suis point amoureux » ? Quelle est la nature véritable du sentiment de Valmont ? L'amour qu'il essaie de feindre et dont il tente de reproduire artificiellement le ton dans les lettres qu'il adresse à la Présidente n'est évidemment pas celui qu'il éprouve : pas de passion totale et exclusive chez lui ; pas d'embrasement fulgurant de l'être comme chez Saint-Preux ou Des Grieux. Ce qui l'attire chez Mme de Tourvel, c'est le charme qui émane de toute sa personne, c'est quelque chose d'indicible dont la vraie nature échappe à sa lucidité. Naturel, franchise, grâce spontanée, pureté naïve, autant de qualités qui apparaissent à la lecture du portrait que Valmont brosse de la Présidente dès la lettre 6. Mme de Tourvel répugne aux artifices, aux duplicités du cœur et des sentiments ; elle est la vivante antithèse des créatures hypocrites et fausses que Valmont rencontre habituellement : « pour être adorable, il lui suffit d'être elle-même » (L. 6). Le charme de Mme de Tourvel est donc celui du premier mouvement irraisonné et instinctif, celui qui suscite des émotions nouvelles et délicieuses, celui qui régénère, rend à l'âme sa fraîcheur et sa splendeur premières :

> Vous le dirai-je ? Je croyais mon cœur flétri, et ne me trouvant plus que des sens, je me plaignais d'une vieillesse prématurée. Mme de Tourvel m'a rendu les charmantes illusions de la jeunesse (L. 6).

Valmont aime-t-il vraiment ?

Toutefois, l'amour du vicomte pour la Présidente est d'une nature bien particulière. Il n'aime pas, dans la mesure où ce terme implique un engagement de la personne, une participation volontaire et active de l'individu ; on ferait mieux de dire qu'il est amoureux, qu'il subit passivement le sentiment. Ce n'est pas de Mme de Tourvel que Valmont est épris, mais de ce qu'elle incarne, de ce qu'elle représente et symbolise :

C'est l'univers de Mme de Tourvel, aux antipodes de son univers, de l'univers de la marquise, qui le tente. Le froid logicien qui a voulu organiser sa vie selon les règles d'une psychologie mécaniste et sensualiste, l'idéologue, entrevoit des régions inexplorées dont son regard ne soupçonnait même pas l'existence. D'où cette curiosité, mais une curiosité inquiète, ces hésitations quand il faut s'engager dans les avenues d'un nouveau monde, où rien n'obéit plus aux lois de la méthode, où les lumières s'estompent, où l'ordre se défait – le monde des brumes d'Ossian, des orages de *René* ; c'est bien devant ce monde nouveau du romantisme, qui se fondera sur les valeurs du sentiment, que Valmont recule[1].

En subissant le charme de Mme de Tourvel, Valmont est tombé dans la faute capitale que la marquise et lui-même reprochent aux autres. Entraîné par le sentiment, il perd sa lucidité, son sens critique. Il n'assume plus la responsabilité de ses actes et devient l'esclave du hasard. Mme de Merteuil le lui dit nettement et dissipe définitivement les illusions qu'il tente encore de faire valoir :

> C'est de l'amour, ou il n'en exista jamais : vous le niez bien de cent façons ; mais vous le prouvez de mille […] votre cœur abuse votre esprit (*L.* 134).

Mis en face de l'évidence, le vicomte sacrifie Mme de Tourvel : il tente de tuer l'amour. Mais, plus que la vanité, l'orgueil ou le désir de nuire, c'est vraisemblablement la volonté de rester fidèle à soi-même et d'aller jusqu'au bout de ses pensées sans se trahir qui explique ce geste. Valmont tue Mme de Tourvel pour sauver ce qu'il croit être la meilleure part de lui-même. Néanmoins, le sentiment tout-puissant survit à l'immolation de la Présidente : Valmont forme le projet de renouer avec sa victime (*L.* 144), mais Mme de Merteuil refuse avec hauteur pareil compromis et c'est alors que commence la lutte à visage découvert entre le vicomte et la marquise.

---

1. A. et Y Delmas, *op. cit.*, p. 391-392.

Madame de Merteuil

La lettre 81

Supérieure à Valmont, plus énergique que lui – on serait tenté de dire plus virile –, elle est le personnage clef, la plus fascinante figure du roman. On ne peut mieux faire, pour comprendre l'attitude de cette héroïne, que de se reporter à la fameuse lettre 81. Abandonnant momentanément masques et artifices, ruses et mensonges, Mme de Merteuil s'y livre tout entière sous la forme d'une confession autobiographique.

Dès son enfance, à peine entrée dans le monde, elle découvre des règles et des principes qui ne doivent rien au hasard ni à l'habitude. Elle pratique l'observation et la réflexion systématiques : « Tandis qu'on me croyait distraite ou étourdie, écoutant peu à la vérité les discours qu'on s'empressait de me tenir, je recueillais avec soin ceux qu'on cherchait à me cacher ». Cette curiosité toujours en éveil, en stimulant son activité intellectuelle, pousse Mme de Merteuil à dissimuler pour échapper à l'attention des autres qui peuvent troubler, en s'y opposant, le libre exercice de son intelligence :

> Forcée souvent de cacher les objets de mon attention aux yeux qui m'entouraient, j'essayai de guider les miens à mon gré […]. Encouragée par ce premier succès, je tâchai de régler de même les divers mouvements de ma figure. Ressentais-je quelque chagrin, je m'étudiais à prendre l'air de la sérénité, même celui de la joie.

En exerçant sa volonté et en apprenant à se dominer, la marquise devient peu à peu maîtresse de son activité et de son émotivité ; elle réussit à créer en elle des automatismes qui libèrent insensiblement le fonctionnement de son esprit. Elle est encore jeune fille quand elle ressent déjà l'impérieux besoin de préserver son intégrité, son absolue liberté intérieure : « Je n'avais à moi que ma pensée, et je m'indignais qu'on pût me la ravir ou me la surprendre contre ma volonté ». Une telle éducation ne tarde pas à porter ses fruits :

> Je n'avais pas quinze ans, je possédais déjà des talents auxquels la plus grande partie de nos politiques doivent leur réputation, et je ne me trouvais encore qu'aux premiers éléments de la science que je voulais acquérir.

Il s'agit désormais de mettre les principes à l'épreuve des faits. L'amour servira de champ d'expérience. Mme de Merteuil en ignore encore tout et elle décide d'obtenir des précisions de son confesseur en s'accusant « d'avoir fait tout ce que font les femmes » ; aux reproches du bon Père, elle conclut que « le plaisir devait être extrême ; et au désir de le connaître succéda celui de le goûter ». Ainsi le mariage, la nuit de noces surtout, constituent pour Mme de Merteuil « une occasion d'expérience » : « douleur et plaisir, écrit-elle, j'observai tout exactement et ne voyais dans ces différentes sensations que des faits à recueillir et à méditer ». Cet événement est donc dépouillé de toute affectivité et la jeune femme a déjà un empire si grand sur son corps et ses instincts qu'elle parvient à ne jamais manifester sa jouissance et à ne donner par là même aucune prise sur elle à son mari. Elle pose alors comme un postulat la dissociation de l'amour et du plaisir : « L'amour qu'on nous vante comme la cause de nos plaisirs n'en est au plus que le prétexte ».

Devenue veuve, éprise plus que jamais d'indépendance et de liberté, elle refuse d'entrer au couvent ou de vivre avec sa mère. Elle profite de cette circonstance pour perfectionner son système :

> J'étudiai nos mœurs dans les romans, nos opinions dans les philosophes ; je cherchai même dans les moralistes les plus sévères ce qu'ils exigeaient de nous, et je m'assurai ainsi de ce qu'on pouvait faire, de ce qu'on devait penser, et de ce qu'il fallait paraître.

Après avoir feint avec un égal succès l'inconséquence et la pruderie, après être ainsi arrivée à se concilier et les femmes les plus vertueuses et les hommes les plus licencieux, après avoir établi son pouvoir sur les autres, Mme de Merteuil est maintenant prête : « Alors je commençai à déployer sur le grand théâtre, les talents que je m'étais donnés. »

Elle vit dès lors très librement, multipliant les aventures, mais il s'agit surtout pour elle, sans pour autant perdre sa réputation et son renom d'« invincible », d'exercer son pouvoir sur les hommes en leur faisant subir le sort qu'ils réservent habituellement aux femmes. Ce double jeu ne saurait évidemment réussir s'il n'était secondé par une technique sans défaut et garanti par la mise en œuvre d'une série de règles pratiques indispensables, qui ont essentiellement pour objet d'éliminer le hasard et les impondérables : précipiter les préparatifs d'une liaison qu'on remarque d'autant plus qu'elle tarde à se former ; éviter de rencontrer en public l'amant préféré, n'accepter les hommages que de ceux auxquels on ne cédera pas et se « procurer ainsi les honneurs de la résistance » ; ne jamais écrire, ne jamais laisser aucune preuve de sa défaite ; tâcher de rendre infidèles les amants qu'on veut quitter ; s'assurer du silence de ses victimes en s'informant de leurs secrets et en gardant toujours la possibilité de les paralyser en usant contre eux des armes du chantage ; enfin, faire appel sans scrupule à l'opinion publique quand on risque d'être compromis.

Une démarche rationnelle

Ce que recherche avant tout Mme de Merteuil, c'est le pouvoir, et elle a très rapidement compris qu'elle ne pourrait satisfaire ce goût inné de la domination qu'en accédant à la maîtrise absolue de soi, qu'en étudiant les mécanismes de la psychologie humaine, en apprenant à dissimuler et en s'appliquant à toujours conserver une vue exacte des difficultés à résoudre. Autant dire qu'elle fait essentiellement confiance à l'efficacité de l'esprit et qu'elle ne se nourrit pas des fantasmes de l'imaginaire ; elle s'appuie sur la raison, ne se livre jamais aux forces obscures et incontrôlées de l'intuition. Toutefois, la démarche qui la conduit ne procède jamais par *a priori* et les principes qui déterminent ses actes sont toujours susceptibles d'être modifiés par l'expérience. Attentive aux événements, Mme de Merteuil n'agit pas en fonction d'une stratégie immuable : elle associe sans cesse l'observation critique au déroulement des faits, elle élabore sa méthode en se référant aux circonstances et ne bâtit rien dans l'absolu.

Chez Mme de Merteuil, l'intelligence est reine. La supériorité de son esprit éclate dans le ton de ses lettres, dans ce qu'il a de vif, de dynamique, d'enjoué. Des trois principaux personnages du roman, c'est elle qui écrit le moins (27 lettres), mais le lecteur garde de sa correspondance le souvenir le plus durable ; il n'y a pas un texte de sa main qui soit faible ou d'intérêt secondaire. Laclos a nettement favorisé cette héroïne dont il veut manifestement faire un portrait exemplaire. Qu'il s'agisse de prendre un amant ou de le quitter (Danceny ou Belleroche) sans qu'il se doute un instant des mœurs réelles de sa maîtresse ; qu'il s'agisse, dans le même temps et dans un même mouvement, de pervertir la jeune Cécile, de brusquer l'intrigue avec Danceny, de jouer auprès de Mme de Volanges le rôle d'une amie intime et vertueuse, enfin de rendre service à Valmont (voir *L.* 63), la marquise se surpasse et fait preuve d'une incomparable maîtrise.

Un épisode du roman semble particulièrement fait pour mettre en valeur l'intelligence et la maestria de Mme de Merteuil : l'aventure avec Prévan. On aurait tort de croire qu'il s'agit là d'une intrigue dans l'intrigue. En effet, ce n'est pas un hasard si Valmont insiste sur l'habileté de Prévan et s'il narre en détail son exploit le plus célèbre : « L'histoire des inséparables » (*L.* 79). Les infortunes de Prévan apparaissent ainsi comme un double et éclatant succès que la marquise remporte sur ce séducteur et sur Valmont. Ici (*L.* 85), la subtilité de Mme de Merteuil atteint des sommets et sa science se révèle sans défaut. L'affaire offre un risque important, étant donné l'habileté et la personnalité de Prévan. La moindre erreur, la moindre faille ou le moindre contretemps dans la combinaison et l'agencement de l'entreprise peuvent tout faire échouer. L'opération est particulièrement difficile puisqu'il s'agit de rendre les apparences plus vraies que la réalité, de transformer une série d'avances dangereuses (elles sont faites en public par une femme) en autant de preuves d'innocence. Enfin, chaque calcul doit être à double ou à triple effet. Dans ce jeu périlleux et subtil, Mme de Merteuil met en œuvre d'infaillibles manœuvres qui en viennent à nier le hasard et la liberté d'autrui. Pas un propos, pas un geste de Prévan qui n'ait été attendu et qui ne soit effectivement prononcé ou exécuté le moment venu.

La supériorité de la marquise sur le vicomte

Néanmoins, c'est dans le combat qui va l'opposer à Valmont que Mme de Merteuil fera incontestablement la preuve de son extraordinaire habileté. Ici, la partie est encore plus délicate puisque la rouerie ne s'attaque plus à l'innocence ou à la vertu, mais à une autre rouerie, puisqu'il n'y a plus de masques et que les adversaires vont s'affronter à visage découvert. On sait déjà que, dans cette rivalité, la marquise dépasse de loin son complice. Elle est d'abord plus lucide que lui ; elle seule se rend compte du danger qu'il y aurait pour eux à renouer ; elle seule s'aperçoit de l'espèce de fatalité que constituent leurs caractères, leurs conceptions et leur complicité passée. Mais c'est surtout dans la lutte qu'elle mène son jeu avec une supériorité évidente : on se souvient avec quelle virtuosité elle utilise la provocation, la coquetterie, la sincérité, les réticences, les refus et le persiflage. L'ingéniosité qu'elle déploie pour pousser Valmont à envoyer à Mme de Tourvel la lettre de rupture prouve bien, s'il le fallait encore, l'excellence de son intelligence. L'adresse de Mme de Merteuil consiste à enfermer le vicomte dans ses principes et dans son rôle, à le persuader insidieusement qu'il doit sacrifier la Présidente s'il veut rester fidèle à lui-même, s'il veut conserver sa maîtrise et sa liberté. La marquise a su dominer les événements, garder l'initiative, se réserver jusqu'au bout la possibilité de choisir entre la réconciliation et la guerre. Enfin, le fait qu'il ne dépende que d'elle de récompenser Valmont ou de se dérober, alors que le vicomte n'a plus aucune prise sur elle, suffit à faire éclater la force incomparable de sa stratégie.

Une éthique de la liberté

Il convient de se demander maintenant quel est le but poursuivi avec tant d'acharnement et de ténacité par Mme de Merteuil. Le plaisir, sans doute : quelques allusions de Valmont, les confidences de la marquise elle-même sur la « fantaisie » qu'elle veut satisfaire avec Prévan (*L.* 74) et sur les qualités qu'elle goûte chez Belleroche (*L.* 10) attestent l'importance qu'elle accorde à la jouissance amoureuse. Toutefois, les émois de la volupté ne lui suffisent pas : elle méprise Cécile qui n'est à ses yeux qu'une « machine à plaisir »

(*L.* 106) et elle se lasse de Belleroche qui n'est plus qu'un « manœuvre d'amour » (*L.* 113). Que recherche-t-elle donc ? La liberté. Mme de Merteuil refuse la dépendance qui rive toute femme à l'homme et elle tente de s'arracher à pareille servitude. Elle a compris qu'elle ne pourrait faire son bonheur qu'à ce prix, qu'elle ne pourrait parvenir à la complète réalisation de soi qu'en s'imposant par le libertinage à la volonté d'autrui, qu'en faisant des hommes le jouet de ses caprices et de ses fantaisies. Elle estime pouvoir par là dominer son destin et conquérir la plénitude de son libre arbitre.

Cependant, la marquise n'a vraisemblablement pas atteint l'autonomie totale qu'on lui accorde d'ordinaire. Les amants qu'elle congédie la croient vertueuse et ils sont dupes de son double jeu. Mme de Merteuil est considérée pour ce qu'elle n'est pas, pour ce qui n'est pour elle qu'asservissement, qu'intolérable sujétion. Or, l'idée qu'elle se fait de la liberté exige qu'elle fasse reconnaître par ceux qu'elle a asservis la liberté qu'elle s'est donnée :

> Toute libre qu'elle soit, elle en est à elle-même le seul témoin et le seul juge : sa certitude ne se distingue plus dès lors d'une illusion ; il lui faudrait des victimes qui fussent en même temps des complices […] S'il prétend être parfait, le libertinage de Mme de Merteuil est strictement impossible : secret, il est frustré de la reconnaissance qui le fonde ; reconnu, il est accablé par le mépris sincère ou hypocrite de toute la société […] Mme de Merteuil est bien réellement libertine, mais beaucoup moins parfaitement qu'elle ne le croit[1].

LE COUPLE VALMONT-MERTEUIL

Histoire d'une étrange amitié

Étudier les rapports et les liens entre Valmont et Mme de Merteuil, c'est en arriver à ce qui constitue peut-être l'essentiel des *Liaisons dangereuses*. Mais, faute de références, d'exemples plus connus ou plus faciles, il est assez malaisé de comprendre, sans en donner une

---

1. Henri Coulet, *op. cit.*, p. 477.

image fausse et trompeuse, la nature de l'association Valmont-Merteuil. D'ailleurs – sans doute par une habileté de plus – Laclos ne nous aide guère à découvrir le secret de cette complicité. En effet, les deux protagonistes, toujours préoccupés par quelque nouveau projet, ne considèrent que très rarement leur passé et expliquent ainsi fort confusément les origines de leur liaison. La marquise, cependant, dans la lettre 81, nous livre une confidence :

> Rappelez-vous le temps où vous me rendîtes vos premiers soins : jamais hommage ne me flatta autant : je vous désirais avant de vous avoir vu. Séduite par votre réputation, il me semblait que vous manquiez à ma gloire ; je brûlais de vous combattre corps à corps.

À la source même de leur rencontre, c'est en termes de désir et de rivalité que Mme de Merteuil définit la nature du lien qui l'unit à Valmont. Elle est satisfaite d'avoir découvert un partenaire digne d'elle, avec lequel elle pourra lutter d'égale à égal.

Cependant, quand s'ouvre le roman, les deux héros ne sont plus amants et à la volonté que Valmont manifeste parfois de renouer (voir *L.* 15, 57, 99), la marquise oppose la ferme intention d'en rester à l'amitié. Elle ne refuse pourtant pas catégoriquement l'idée d'un « renouvellement de bail » (*L.* 20), mais elle pose ses conditions : « Aussitôt que vous aurez eu votre belle dévote, que vous pourrez m'en fournir une preuve, venez et je suis à vous » (*L.* 20). Elle veut manifestement mettre le vicomte à l'épreuve, aiguiser son amour-propre en s'offrant comme récompense et le contraindre à séduire Mme de Tourvel le plus rapidement possible.

Ainsi, Mme de Merteuil ne cède jamais au désir de Valmont et refuse toujours de redevenir sa maîtresse. Elle ne fait d'ailleurs en cela que respecter les termes d'un pacte qu'ils ont conclu « si gaiement », l'un et l'autre, autrefois, sur la fameuse ottomane de la petite maison (*L.* 10). Les clauses de ce pacte « d'éternelle rupture » ne sont pas précisées, mais on devine bien en quoi elles consistent et ce qu'elles peuvent stipuler. Les amants ont trouvé l'accord parfait dans le désir et le plaisir ; ils ont connu l'absolu de l'amour physique et du bonheur sensuel qu'ils ont su débarrasser des illusions de l'affectivité. L'union des deux héros a atteint un sommet paroxystique, au-delà duquel il n'y a plus rien à découvrir[1]. Le champ du possible a été exploité de fond en comble, le libertinage poussé jusqu'à son point suprême. Toute possibilité de dépassement devient alors impossible : on ne peut plus aller au-delà de soi-même, former d'autres projets, nourrir d'autres intentions ; la volonté risque de se perdre, l'instinct de conquête et de puissance de disparaître. Valmont et Merteuil ne peuvent accepter cette perspective. Ils ne peuvent vivre qu'en refusant la stabilité et qu'en remettant sans cesse en cause la maîtrise qu'ils exercent sur eux-mêmes et sur les autres : « De plus grands intérêts nous appellent ; conquérir est notre destin, il faut le suivre » (*L.* 4). « Ne perdons pas ensemble, s'écrie la marquise, le temps que nous pouvons si bien employer ailleurs » (*L.* 131). D'amants, ils deviendront amis.

▎ D'implacables rivaux

Cette amitié n'établit pourtant pas entre eux une égalité et, en fait, un véritable conflit d'influence, une rivalité impitoyable ne tardent pas à se manifester. Laclos, au seuil de son roman, a tout fait pour que soit donné le ton des rapports entre les deux complices. Écoutons la marquise : « Revenez, mon cher vicomte, revenez... Partez sur-le-champ ; j'ai besoin de vous. Il m'est venu une excellente idée et je veux bien vous en confier l'exécution » (*L.* 2). Ce style impératif, cette espèce de condescendance montrent bien que, dès le début de l'intrigue, c'est la marquise qui est à la tête du couple ; elle veut diriger, commander, tout orchestrer, prendre la direction des opérations. Valmont n'est qu'un exécutant et il en a conscience : « Donnez-moi les réclames de mon rôle », lui écrit-il (*L.* 59) ; et ailleurs : « Adieu, ma belle amie, je pars demain. Si vous avez des ordres à me donner [...] faites-moi passer vos sublimes instructions » (*L.* 70). Mme de Merteuil ne perd jamais une occasion d'affirmer sa supériorité, de se faire valoir à son avantage : « Que vous êtes heureux de m'avoir pour amie ! Je suis pour vous une fée bienfaisante » (*L.* 85). Quand elle

---

[1]. Dans les lettres 115, 129 et 133, Valmont fait allusion à la qualité et à l'intensité exceptionnelles des jouissances qu'il a partagées avec la marquise.

trace le portrait de son complice, elle ne s'embarrasse pas d'égards et n'hésite pas à dire tout ce qu'elle pense :

> Une belle figure, pur effet du hasard ; des grâces, que l'usage donne presque toujours ; de l'esprit, à la vérité, mais auquel du jargon suppléerait au besoin ; une impudence assez louable, mais peut-être uniquement due à la facilité de vos premiers succès ; si je ne me trompe, voilà tous vos moyens (*L.* 81).

La rivalité Merteuil-Valmont, tel est donc le véritable argument des *Liaisons dangereuses*. La guerre que les associés de la première heure finiront par se déclarer et se faire sans merci trouve ses origines lointaines dans les premières algarades. Le vicomte, à peine le roman commencé, ne s'écrie-t-il pas, indigné : « Vous ne craignez pas de m'attaquer dans l'objet de mes affections ! [...] Quel homme n'eût point payé de sa vie cette insolente audace ? » (*L.* 6.) Valmont a refusé d'obtempérer aux ordres de sa complice, d'abandonner ses vues sur la Présidente et de séduire la jeune Cécile. Dépitée, la marquise le raille de sa « ridicule aventure » (*L.* 113) et le vicomte finit par constater que leur ancienne union commence à se défaire : « Nous ne sommes plus de même avis sur rien » (*L.* 115). Mme de Merteuil vient d'ailleurs de congédier le trop empressé Belleroche, ce « manœuvre d'amour » (*L.* 113), et de le remplacer par Danceny. Valmont, bien entendu, est piqué au vif et désapprouve ce choix : « Laissez là le doucereux Danceny pour ne vous occuper que de moi » (*L.* 125). Même après avoir appris (*L.* 125) que Mme de Tourvel avait enfin cédé à Valmont, la marquise, contrairement à ses engagements, refuse « [d'attendre] à [son] tour, en esclave soumise, les sublimes faveurs » (*L.* 127) du vicomte et s'obstine à prendre Danceny pour amant. La montée des périls a beau être inquiétante, il n'empêche que Valmont n'hésite pas à se livrer :

> Dites seulement un mot, et vous verrez si tous les charmes et tous les attachements me retiennent ici, non pas un jour, mais une minute. Je volerai à vos pieds et dans vos bras et je vous prouverai, mille fois et de mille manières, que vous êtes, que vous serez toujours la véritable souveraine de mon cœur (*L.* 129).

La défaite du vicomte

À la suite de cette déclaration, la quiétude semble provisoirement revenue, mais Mme de Merteuil fait remarquer qu'elle n'a pas reçu la preuve écrite de la victoire du vicomte sur Mme de Tourvel : « la première lettre de la céleste prude » (*L.* 131), condition du marché précédemment conclu. Néanmoins, elle exigera davantage encore avant de se livrer à Valmont, qui vient pourtant de tromper la Présidente avec Émilie et montrer par là même à sa rivale qu'il n'est pas amoureux, quoi qu'elle en dise. Surpris et fâché d'une réponse qu'il attendait et qui ne vient pas, le vicomte, dans la lettre 140, annonce sa réconciliation avec Mme de Tourvel, fait le récit de la fausse couche de Cécile et conclut par ces mots : « Mais y a-t-il encore quelque intérêt commun entre vous et moi ? Votre silence m'en ferait douter […] je vous embrasse, rancune tenante. » Cette fois, la riposte de la marquise ne se fait pas attendre. Elle ne se contente pas d'exprimer son mécontentement : elle menace Valmont de le « livrer au public en [l'] état d'ivresse » où il est et de « rendre ainsi son ridicule ineffaçable » (*L.* 141). Enfin, elle lui dicte la fameuse lettre de rupture qu'elle a rédigée à son intention pour Mme de Tourvel :

> On s'ennuie de tout, mon Ange, c'est une loi de la Nature ; ce n'est pas ma faute (*L.* 141).

Les menaces ont été efficaces, Valmont capitule : « J'attends tout de vos bontés » (*L.* 142) et envoie la terrible missive à la Présidente. Mme de Merteuil laisse alors exploser sa joie :

> Sérieusement, vicomte, vous avez quitté la Présidente ? Vous lui avez envoyé la lettre que je vous avais faite pour elle ? […] J'avoue de bonne foi que ce triomphe me flatte plus que tous ceux que j'ai pu obtenir jusqu'à présent […] ce n'est pas sur elle [Mme de Tourvel] que j'ai remporté cet avantage ; c'est sur vous : voilà le plaisant, et ce qui est vraiment délicieux (*L.* 145).

Les ultimes algarades

Désormais les hostilités paraissent inévitables ; les ennemis sont face à face, mais ils n'ont pas encore choisi de lutter à visage découvert. Ils vont s'essayer à la ruse, aux armes déloyales de la mauvaise foi. Valmont, dans la lettre 144, propose à Mme de Merteuil d'accepter qu'il se réconcilie avec la Présidente :

> Je pourrais essayer cette démarche sans y mettre d'importance, et par conséquent, sans qu'elle vous donnât d'ombrage. Au contraire, ce serait un simple essai que nous ferions de concert ; et quand même je réussirais, ce ne serait qu'un moyen de plus de renouveler, à votre volonté, un sacrifice qui a paru vous être agréable.

La marquise se doute immédiatement du piège et comprend fort bien que Valmont tente de sauver celle qui lui a fait découvrir ce « charme inconnu » dont il a été question tout à l'heure : « J'admire [...] avec quelle finesse ou quelle gaucherie vous me proposez en douceur de vous laisser renouer avec la présidente » (*L.* 145).

Mme de Merteuil, de son côté, travaille aussi dans l'ombre, cache profondément ses intentions. Le 29 novembre, elle écrit au vicomte : « Ne doutez pas que dès que je serai arrivée à Paris, vous n'en soyez le premier informé » (*L.* 145). Le même jour, elle envoie ces lignes à Danceny : « [...] demain au soir, je serai de retour à Paris [...] je vous demande le secret sur mon arrivée. Valmont même n'en sera pas instruit » (*L.* 146). Le vicomte n'est pas dupe des mensonges qui lui sont adressés. Il se rend chez la marquise, la trouve en compagnie de Danceny et passe à son tour aux menaces : « Nous nous connaissons tous deux, marquise, ce mot doit vous suffire [...] Surtout, plus de Danceny » (*L.* 151). La riposte ne se fait pas attendre :

> [...] si vous me faisiez une noirceur, il me serait impossible de vous la rendre [...]. Au fait, qu'auriez-vous à redouter ? d'être obligé de partir, si on vous en donnait le temps [...] Tout ce que je peux donc répondre à votre menaçante lettre, c'est qu'elle n'a eu ni le don de me plaire, ni le pouvoir de m'intimider ; et que pour le moment, je suis on ne peut pas moins disposée à vous accorder vos demandes (*L.* 152).

À partir de cet instant, les événements se précipitent : les rivaux se déclarent ouvertement la guerre (*L.* 153) et mènent au grand jour un implacable combat qui les anéantira tous deux (voir *Résumé et Repères pour la lecture*, p. 31-35, pour les péripéties de cette lutte finale).

Mme de Merteuil est-elle jalouse ?

Il reste maintenant à comprendre pourquoi les personnages de ce drame ont pu passer de l'alliance qui les unissait primitivement à la guerre qui les a déchirés puis tués l'un et l'autre. On a déjà vu comment l'émulation dans les conquêtes avait stimulé puis exacerbé chez les deux amis le sens et le goût de la rivalité, comment la marquise, infatuée de sa supériorité, était en fait incapable de ménager l'amour-propre et la susceptibilité de son complice. Mais ces constatations ne suffisent pas à mettre en lumière les éléments cachés qui déterminent la psychologie des personnages.

On fait donc traditionnellement appel, pour expliquer les réactions de Mme de Merteuil, à l'un des plus puissants ressorts psychologiques : la jalousie. On peut retenir ce terme, mais il convient d'en préciser le sens. Ce n'est pas sur le plan physique que la marquise est jalouse, puisque le pacte qu'elle a passé avec Valmont consiste précisément à ce qu'il séduise et possède le plus grand nombre possible de femmes. Serait-ce alors sur le plan sentimental que Mme de Merteuil éprouverait la jalousie ? Trahirait-elle par là un sentiment qu'elle réprouve mais qu'elle ne peut s'empêcher de subir ? Dans ce cas, la jalousie serait une preuve d'amour. Cette hypothèse est-elle vraisemblable ? Il ne le semble pas. En effet, chaque fois qu'apparaît chez elle une manifestation de jalousie, elle se donne comme une réaction d'amour-propre : la marquise ne peut supporter l'existence d'une rivale parce qu'elle se refuse à être comparée aux autres ; elle se veut singulière, unique, inimitable. En fin de compte, sa jalousie s'explique par son orgueil, et c'est ce que confirment bon nombre de ses propos :

> [...] je n'ai pas oublié que cette femme était ma rivale, que vous l'aviez trouvée un moment préférable à moi, et qu'enfin, vous m'aviez placée au-dessous d'elle (*L.* 145).
> Cette rare, cette étonnante Mme de Tourvel [n'est] qu'une femme ordinaire (*L.* 134).

Ce que Mme de Merteuil ne peut tolérer, c'est d'être placée au second rang, d'être reléguée dans l'ombre et dans la grisaille où elle risque de se confondre indistinctement avec les autres représentants de son sexe. La jalousie de la marquise n'a pas son origine dans le sentiment, mais dans l'idée que Valmont peut lui préférer un autre être. Céder aux sollicitations du vicomte quand il veut rompre le « pacte d'éternelle rupture » reviendrait, pour elle, à être mise sur un pied d'égalité avec la Présidente, ce qu'elle ne peut évidemment pas souffrir.

Le narcissisme de la marquise

L'orgueil et la jalousie n'expliquent pas tout. Les réticences, les refus de Mme de Merteuil ont des racines plus profondes. Quand elle a rencontré Valmont et en a fait l'associé de ses projets, elle avait découvert en lui des qualités et des dispositions semblables aux siennes. Elle envisageait, à cette époque, de créer un couple d'un type très neuf, où chaque partenaire pourrait retrouver en l'autre, non son contraire ou son complément, comme à l'ordinaire, mais son double, l'image la plus parfaite de soi-même. Il y a chez la marquise une très nette tentation narcissique et c'est peut-être là qu'il faut chercher l'origine de son comportement et de ses réactions en face du vicomte. Avant de connaître Valmont, Mme de Merteuil était seule à pouvoir apprécier sa valeur et ses actes, elle n'était reconnue que par elle-même. À la conscience aiguë qu'elle avait de soi manquait pourtant la présence d'un autre, le miroir d'un autre moi où elle aurait pu se regarder vivre et se sentir pleinement exister. Son entourage ne voyait d'elle, alors, qu'une apparence, qu'une image fallacieuse. Pour s'assurer de son visage secret, de son être intime et authentique, la marquise a besoin du vicomte chez qui elle trouve son reflet en accédant à la véritable connaissance de soi. Tant que Valmont sera fidèle à l'idée qu'elle se fait de lui, tout risque de conflit entre les deux complices est impossible. En revanche, dès que le vicomte subit la tentation du sentiment, dès qu'il trahit les principes du pur libertinage, dès qu'il n'est plus conforme à son double, dès qu'elle ne peut plus se reconnaître en lui, la lutte et l'affrontement deviennent inévitables.

LA DÉVOTE : MADAME DE TOURVEL

Une sensibilité exacerbée

On ne peut imaginer un type psychologique plus opposé à Mme de Merteuil que le personnage de Mme de Tourvel. La marquise s'appuie essentiellement sur la lucidité de son esprit ; c'est l'observation, la pensée claire et l'objectivité qui la conduisent à la connaissance. Au contraire, l'univers mental de la Présidente est dominé par l'affectivité et la subjectivité ; c'est grâce au sentiment et à l'émotion qu'elle entre en relation avec autrui. *Expérience*, *réflexion*, *volonté*, *étude* sont les mots clefs par lesquels s'exprime ordinairement Mme de Merteuil, alors que, face à cette froide faculté d'analyse, Mme de Tourvel se contente d'éprouver et de sentir.

La Présidente ne se détermine pas à agir en fonction de la réflexion, de l'examen attentif des faits ; elle ne cherche pas à découvrir les mécanismes cohérents des événements. Ce qui serait immanquablement rejeté par toute intelligence raisonnable devient pour elle vérité éclatante ; Mme de Tourvel est prompte à suivre les intuitions de son cœur. Ainsi, devant le premier problème important qu'elle ait à résoudre – pourquoi Valmont, dont la réputation est si scandaleuse, a-t-il été charitable ? (*L.* 21) –, la Présidente ne réfléchit pas, ne pèse pas le pour et le contre ; elle fait appel aux certitudes de la foi. Sa subjectivité modifie le monde et les êtres ; en proie à une vive agitation intérieure, elle transforme (*L.* 22) la perspective réelle que Mme de Volanges lui indiquait : celle d'un Valmont fourbe et hypocrite. Elle se refuse à l'analyse précise des circonstances et, sous le coup de l'émotion, elle envisage toute chose sous un jour différent ; elle situe Valmont dans une autre existence, dans un autre monde. Cette transfiguration s'effectue d'ailleurs par étapes successives, sous l'impulsion irrésistible et incontrôlée d'une émotivité exacerbée qui se manifeste immédiatement par des réactions organiques ; ainsi quand le vicomte l'aide à franchir le fossé, Mme de Tourvel rougit et Valmont qui la presse un instant contre lui sent son cœur battre plus vite (*L.* 6). Lorsque son séducteur revient au château par surprise, la Présidente « reconnaît sa voix [...] [et] il lui échappe un cri » (*L*. 76). À Paris, lorsqu'on lui remet son courrier, la sensible dévote reconnaît de loin, sur l'enveloppe, l'écriture du vicomte : « Je me suis levée involontairement ; je tremblais, j'avais peine à cacher mon émotion » (*L*. 108). Mme de Tourvel se livre tout entière dès le premier instant, dès le premier mouvement ; elle avoue elle-même qu'elle « ne sait ni dissimuler ni combattre les impressions qu'elle éprouve » (*L*. 26).

C'est par les larmes que cette sensibilité si délicate s'exprime le plus fréquemment. Il ne faut pas oublier que la Présidente a vingt-deux ans quand paraissent *Les Liaisons dangereuses* et qu'elle est la contemporaine de *La Nouvelle Héloïse*, de la comédie larmoyante et du drame bourgeois à la Diderot. Valmont fait-il l'aumône ? Elle en est « attendrie jusqu'aux larmes » (*L*. 22). Le vicomte déclare-t-il son amour ? Elle « fond en larmes » et passe la soirée « baignée de larmes priant avec ferveur » (*L*. 23). Offre-t-elle son amitié à Valmont ? Elle passe au préalable « une nuit dans les larmes » (*L*. 90). Rentre-t-elle à Paris, s'éloigne-t-elle de celui qu'elle aime ? « Tous les moments de sa triste existence sont marqués par ses larmes » (*L*. 108).

Des émotions paralysantes

Chez certains individus, l'émotion pousse à l'action, rassemble les énergies éparses et se traduit par des actes ; tel est, par exemple, le cas chez les personnages de Stendhal, où elle est souvent créatrice. Chez Mme de Tourvel, la réaction est inverse ; la crise émotionnelle est paralysante et la Présidente est incapable d'exprimer le sentiment qu'elle ressent ; celui-ci se développe dans les profondeurs de son être et ne peut s'extérioriser au moyen du langage. Quand le trouble l'envahit, Mme de Tourvel laisse une phrase en suspens : « Oh ! non, mais... » (*L*. 6), « Eh bien ! oui, je... » (*L*. 92), etc.

Les mots étant impuissants à traduire les mouvements du cœur, c'est le corps, véritable organe de la sincérité, qui devient alors expressif et manifeste par ses réactions l'intensité de l'émotion. La première fois que la Présidente s'abandonne à l'amour qu'elle porte à Valmont, elle se laisse aller dans les bras du vicomte, « son regard s'éteint », puis « se dégageant avec une force convulsive, la vue égarée, et les mains élevées vers le ciel elle s'écrie : "Dieu, ô mon Dieu, sauvez-moi" » (*L.* 99). Elle tombe à genoux, pleure, suffoque, profère des phrases incohérentes et devient la proie de violentes convulsions qui empêchent Valmont, d'ailleurs très ému lui-même, de réaliser son projet. La scène de la chute est précédée, elle aussi, d'une crise très aiguë : Mme de Tourvel s'évanouit et ne revient à elle que « soumise et déjà livrée à son heureux vainqueur » (*L.* 125). La marquise de Merteuil avait déjà fort bien compris la nature profonde de la Présidente sans cesse terrassée par l'émotion et incapable d'agir, quand elle écrit, à son propos, dès la lettre 33 :

> Ce qui me paraît encore devoir vous rassurer sur le succès, c'est qu'elle use trop de forces à la fois ; je prévois qu'elle les épuisera pour la défense du mot, et qu'il ne lui en restera plus pour celle de la chose.

Une âme paisible

Cependant, avant d'être livrée aux troubles et aux bouleversements engendrés par la passion amoureuse, Mme de Tourvel recherchait la paix et le calme intérieur. Elle cultivait l'égalité d'humeur, l'harmonie et la douceur. Elle pressentait quelles violentes perturbations le jaillissement des sentiments ne manquerait pas de faire éclater en elle et elle s'efforçait de s'en protéger :

> Ce que vous appelez le bonheur, n'est qu'un tumulte des sens, un orage des passions dont le spectacle est effrayant, même à le regarder du rivage (*L.* 56).

La Présidente attache une grande importance à la « tranquillité » et ce mot revient très fréquemment sous sa plume. « Cessez, dit-elle à Valmont, de vouloir troubler un cœur à qui la tranquillité est si nécessaire » (*L.* 56), et à Mme de Rosemonde : « Je vous devrai ma tranquillité, mon bonheur, ma vertu » (*L.* 124). C'est pour éviter d'avoir à souffrir d'une sensibilité très développée que Mme de Tourvel se retranche derrière la « tranquillité » où elle tentera vainement de se mettre à l'abri de l'amour. Valmont, outre la difficulté de séduire une prude, a certainement été attiré par ce calme, cette douceur quelque peu mélancolique : « Vous savez que j'ai naturellement peu de gaieté » (*L.* 45). Cette équanimité, cette tendresse, cette nature caressante et contemplative, en un mot ces qualités si étrangères à Mme de Merteuil, n'ont pas manqué d'exercer leurs charmes sur le vicomte en lui révélant une beauté gracieuse teintée de tristesse. Mme de Tourvel a d'ailleurs quelque chose d'« angélique » (*L.* 76) et ce n'est pas un hasard si le vicomte ou la marquise, même par ironie, la traitent fréquemment de « céleste prude ».

▍Le refus du masque et du mensonge

Il n'est pas étonnant qu'un tempérament si pur fasse des sentiments la valeur suprême et n'imagine pas un instant qu'on puisse manquer de sincérité. Spontanément, la Présidente croit en la franchise d'autrui. Elle éprouve l'impérieux besoin de comprendre, de vibrer à l'unisson, d'entrer en sympathie avec ceux qui l'entourent ; elle est donc naturellement portée à l'indulgence. Chaque fois que Valmont paraît coupable à ses yeux, chaque fois qu'il n'a pas tenu ses promesses, elle l'excuse et pardonne, par amour certes, mais aussi par obéissance à un impératif absolu propre à sa nature la plus intime : elle ne peut éprouver le moindre ressentiment, même à l'endroit de celui dont elle aurait pourtant le plus à se plaindre (voir *L.* 90). Ce qu'elle condamne chez Valmont, dès la première lettre, c'est moins les sentiments qu'il manifeste que les ruses et les artifices qu'il utilise. Les procédés du vicomte sont contraires aux élans spontanés du cœur et Mme de Tourvel rejette vigoureusement pareils agissements. Pour elle, les sentiments authentiques doivent se révéler sans fard, s'affirmer immédiatement. Elle recherche avant tout la profondeur, la vérité, elle fait peu de cas des apparences ; elle n'attache pas d'importance à la renommée scandaleuse du vicomte et ne se préoccupe pas de ce qu'on peut penser d'elle dans le monde. Quand elle contraint Valmont à quitter le château de Mme de Rosemonde, quand elle prend la fuite, elle ne cherche pas à éviter le jugement d'autrui, mais à assurer son salut, sa paix intérieure. Il n'y a donc chez elle ni ostentation ou ambition, ni orgueil ou vanité. Illusions trompeuses, mensonges lui sont étrangers et on a pu dire à juste titre qu'« au monde du masque, celui de Merteuil, elle oppose le monde de la transparence[1] ».

Mme de Tourvel souffre donc de dissimuler ses sentiments, de ne pouvoir exprimer librement l'amour qu'elle porte à Valmont ; sa morale et ses convictions religieuses l'empêchent de réaliser la « transparence ». Son drame vient de là. En rencontrant le vicomte, elle a subitement perdu la sérénité et l'harmonie. Naguère encore, elle était une ; aujourd'hui elle doit se dédoubler. Elle est incapable, par nature, de masquer ses états d'âme, mais son devoir exige qu'elle le fasse ; elle tente par conséquent de refuser la passion, mais celle-ci, par crises successives, finit par s'imposer[2]. Ce n'est d'ailleurs qu'au moment suprême, après s'être livrée à Valmont qu'elle croit encore sincère, que la Présidente finira par accepter l'amour, redécouvrir l'équilibre perdu et rétablir en elle l'adéquation entre l'être et le paraître. Ayant trouvé la force de repousser les principes reçus, de regarder en face la vérité du cœur, elle se réconcilie avec elle-même et l'intolérable divorce intérieur qui la déchirait s'évanouit soudain. Une fois franchie l'ultime étape, elle ne manifeste ni regret, ni remords. Elle ne fait aucune allusion à sa trahison conjugale et assume pleinement son nouveau destin ; elle a retrouvé « la transparence » en faisant le don total de sa personne à l'être aimé, en se consacrant à Valmont (voir *L.* 128). À peine a-t-elle accepté l'amour qu'elle s'en fait une conception très haute ; elle l'élève jusqu'à la mystique, le pousse jusqu'au sacrifice de soi. Son détachement est tel qu'avant de mourir, peu de temps après la disparition de Valmont, elle se charge de toutes les fautes et assume toutes les responsabilités :

> Dieu tout-puissant […] je me soumets à ta justice ; mais pardonne à Valmont. Que mes malheurs, que je reconnais avoir mérités, ne lui soient pas un sujet de reproche, et je bénirai ta miséricorde ! (*L.* 165).

---

1. A. et Y. Delmas, *op. cit.*, p. 414.
2. Lettre 23 : Valmont entre dans sa vie ; lettre 96 : l'amour s'impose ; lettre 125 : la victoire de Valmont.

Cécile

On juge parfois trop sommairement ce personnage des *Liaisons dangereuses*. Baudelaire va trop loin quand il décèle en Cécile « l'ordure originelle[1] ». Certes, la petite Volanges n'a guère d'esprit et se laisse entraîner par les pulsions instinctives de sa nature, mais il convient, pour apprécier son comportement, de la situer dans le contexte où Laclos n'a pas manqué de la placer.

Une éducation négligée

À onze ans, Cécile entre au couvent. Elle en sort à quinze et se prépare à épouser le comte de Gercourt, de plus de vingt ans son aîné et qu'elle ne connaît pas : tel est le sort habituel des filles de sa condition. Son éducation intellectuelle n'a pas été poussée très loin et elle connaît mieux le dessin, la musique ou la danse que le calcul, la grammaire ou l'histoire ; elle se rend d'ailleurs fort bien compte de son ignorance : « Conviens que nous voilà bien savantes ! » (*L.* 1) écrit-elle à Sophie, son amie restée en pension. Au couvent, Cécile menait une existence agréable et heureuse en compagnie de jeunes filles de son âge. Chez elle, dans le monde, elle se sent esseulée et ses premières lettres témoignent visiblement de son désappointement : « Hommes et femmes, tout le monde m'a beaucoup regardée, et puis on se parlait à l'oreille, et je voyais bien qu'on parlait de moi » (*L.* 3).

Privée d'intimité avec sa mère, perdue dans un milieu dont elle ignore les règles et les habitudes, Cécile cherche des appuis : elle trouve Mme de Merteuil et Danceny. Si elle découvre avec le jeune homme les premiers émois de l'amour juvénile, si cette liaison entamée à l'occasion de leçons de musique a quelque chose d'agréable et de touchant, Cécile, à la faveur de ses relations avec Mme de Merteuil, ne tarde pas à dévoiler un autre aspect d'elle-même. Elle est encore enfant, certes, mais la marquise note

---

1. Voir *Œuvres complètes* de Laclos, édition Maurice Allem, *op. cit.*, Appendices, p. 713.

bien, dès l'abord, « que tout annonce en elle les sensations les plus vives » (*L.* 38). D'un seul terme, Mme de Merteuil caractérise la nature intime de la petite Volanges : elle est toute « sensation ». Il est vrai que la jeune fille vit à fleur de peau et qu'elle ne réagit que superficiellement ; les mots « peine » et « plaisir » reviennent très souvent dans sa correspondance. Éprouve-t-elle le moindre souci ? Elle pleure. Reçoit-elle le moindre réconfort ? Ses larmes, sur-le-champ, disparaissent.

L'empire des sensations est si considérable chez Cécile qu'il lui est impossible d'y résister. Elle cède toujours aux premières impulsions : « C'était plus fort que moi » (*L.* 18) ; « je n'ai pas pu m'en empêcher » (*L.* 28) ; « si j'avais pu m'en empêcher » (*L.* 30). Elle manque de volonté. Elle n'a pas reçu d'éducation solide et la morale élémentaire qu'on lui a inculquée ne lui permet pas de faire la distinction entre le bien et le mal. Son esprit n'a pas été formé et elle ne peut pas trouver l'élévation spirituelle dans la vie intérieure ou intellectuelle ; elle ne lit pas et ce ne sont pas les bavardages de Sophie, les gronderies de la Mère Perpétue ou les radotages de la bonne Joséphine qui ont pu l'éveiller à la réflexion et lui apprendre à voir clair en elle-même.

Pourtant, cette jeune écervelée ne manque pas tout à fait de finesse et certains de ses propos attestent que son intelligence aurait peut-être mérité d'être formée :

> Est-ce un mal d'aimer quelqu'un ? demande-t-elle à Mme de Merteuil. Ou bien est-ce que ce n'est un mal que pour les demoiselles ? Car j'ai entendu maman elle-même dire que Mme D... aimait M. M..., et elle n'en parlait pas comme d'une chose qui serait si mal ; et pourtant je suis sûre qu'elle se fâcherait contre moi, si elle se doutait seulement de mon amitié pour M. Danceny (*L.* 27).

Cet esprit léger va même jusqu'à relever une contradiction chez la marquise : « Il y a pourtant une chose qui m'a bien surprise dans votre lettre : c'est ce que vous me mandez pour quand je serai mariée, au sujet de Danceny et de M. de Valmont. Il me semble qu'un jour, à l'Opéra, vous me disiez au contraire qu'une fois mariée, je ne pourrais plus aimer que mon mari, et qu'il me faudrait même oublier Danceny » (*L.* 109).

Mais, Valmont l'a compris d'emblée, « [Cécile] ne perd pas son temps à réfléchir » (*L.* 140) et de telles remarques sont très rares sous sa plume. La petite Volanges est incapable de raisonner et le malheur veut qu'elle ne dispose pas non plus d'intuition. Autant dire qu'il lui est impossible de rechercher la signification des événements et qu'elle en reste toujours à l'apparence, aux manifestations extérieures des choses ou aux réactions visibles des êtres. Inapte à communiquer intellectuellement avec autrui, elle n'existe plus que par le corps et c'est à travers lui qu'elle établira des relations avec son entourage. Mme de Merteuil a immédiatement découvert la sensualité de Cécile et a même contribué à son éveil par les rapports amicaux assez ambigus qu'elle entretient avec la jeune fille (voir *L.* 54).

Un seul principe, le plaisir, commande donc toute la personnalité de ce personnage très influençable et les protagonistes du drame ne manqueront pas d'utiliser pareille faiblesse pour mener à bien leurs sombres entreprises.

Danceny

Baudelaire, pour caractériser ce personnage, écrivait :

> Fatigant d'abord par la niaiserie, devient intéressant. Homme d'honneur, poète et beau diseur[1].

Il est vrai que Danceny, comme l'atteste l'évolution de son style (voir ci-dessous, p. 91-92) se transforme peu à peu au cours du roman. Le fade amoureux, héritier de Saint-Preux dont il imite le langage au point de le plagier, se métamorphose lentement, affirme de plus en plus sa personnalité et, à l'inverse du héros de *La Nouvelle Héloïse*, surmonte sa timidité et refuse de se complaire dans une résignation paralysante. Laurent Versini dit pertinemment de lui que « c'est un Saint-Preux qui serait un peu marquis[2] ».

Face à Valmont et à la marquise de Merteuil, il ne se définit pas essentiellement comme le naturel opposé au calcul et à l'hypocrisie.

---

1. In Baudelaire, *Œuvres complètes*, Paris, Gallimard, « Bibliothèque de la Pléiade », 1976, p. 643.
2. Laurent Versini, Laclos, *Œuvres complètes*, *op. cit.*, p. 1199, note 2.

C'est parce qu'il est naturel dans ses sentiments pour Cécile et sans malice dans ses relations avec Valmont ou la Marquise de Merteuil qu'il se laisse ingénument prendre à leurs pièges. Mais ce jeune homme naïf, à la fin du roman, se révèle soudain homme de caractère et homme d'honneur : il a le courage de faire justice des trahisons de Valmont et de divulguer les scandaleux secrets de la Marquise de Merteuil. Il lui revient aussi la tâche significative sur le plan éthique de tirer l'enseignement des événements en ce qui concerne Cécile : il stigmatise, dans la lettre 164 adressée à Mme de Rosemonde, les conséquences gravissimes d'une éducation négligée qui livre sans défense une jeunesse ignorante et mal formée aux infâmes machinations des méchants. On peut sans doute hésiter longtemps sur la signification de ce personnage, mais il semble bien incarner, en fin de compte, l'« honnête homme », tel qu'apparemment l'imaginait Laclos moraliste.

3 | *Les Liaisons* et le genre épistolaire

LES ORIGINES ANTIQUES DU GENRE ÉPISTOLAIRE : *LES HÉROÏDES*

Les racines du genre épistolaire remontent à un passé lointain. Les sophistes grecs nous ont légué bon nombre de lettres romanesques en prose, récits imaginaires qui révélaient au lecteur des mondes auxquels il était souvent étranger : milieux des marins, des pêcheurs et des paysans, aussi bien que ceux des prostituées ou des parasites. C'est ce que fit par exemple Alciphron, au IIe siècle de notre ère, avec deux cent dix-huit lettres fictives qui sont parvenues jusqu'à nous.

Toutefois, c'est Ovide (début du Ier siècle av. J.-C.), le grand poète latin, auteur des *Epistulae Heroidum*, qui est généralement considéré comme le véritable promoteur de ce genre littéraire. Il s'agit de lettres imaginaires, prétendument adressées par des femmes illustres de l'Antiquité – telles Pénélope, Médée ou Didon –, à leurs époux ou à leurs amants. Ces *Héroïdes*, épîtres versifiées, sont animées par un lyrisme élégiaque qui traduit tous les malheurs de la passion ; ce ne sont que liaisons sans espoir, femmes délaissées, indifférence, trahison, départ ou mort de l'aimé/e.

Ces textes connurent une immense fortune ; étudiés au Moyen Âge, ils le sont encore assidûment aux XVIIe et XVIIIe siècles où ils servent, dans les écoles, de modèles pour la pratique du discours latin.

LE GENRE ÉPISTOLAIRE AU XVIIᵉ SIÈCLE

Le roman par lettres

L'archétype latin des *Héroïdes* ne resta pas absolument figé et donna par exemple naissance, au XIIᵉ siècle, aux fameuses lettres romancées d'Héloïse et d'Abélard qui constituèrent, jusqu'au XVIIIᵉ siècle, une source inépuisable d'inspiration pour plusieurs générations d'écrivains. Toutefois, le roman épistolaire moderne n'apparaît qu'en 1669 avec les *Lettres de Babet*, de Boursault (1638-1701), mais surtout, la même année, avec les *Lettres portugaises* du vicomte de Guilleragues (1628-1685), dont l'immense renommée se perpétuera jusqu'à l'époque moderne, bien au-delà du siècle des Lumières.

Ces cinq *Lettres portugaises*, parues anonymement, sont un chef-d'œuvre de la littérature classique. Elles narrent une histoire très simple : un officier français, au service du Portugal lors de la guerre contre l'Espagne (1663), fait la connaissance d'une Portugaise qu'il séduit et abandonne. La manière dont la jeune femme analyse les étapes de sa passion est particulièrement saisissante : c'est en quelque sorte le poème de la déception amoureuse. Les impératifs de la chair, l'angoisse du suicide et un sens aigu du sacrilège, une atmosphère romantique et tourmentée n'empêchent pas ce petit roman de déployer des trésors d'esprit d'analyse, d'être servi par un style savamment élaboré et de disposer d'une subtile casuistique des sentiments tout à fait dans l'esprit des salons parisiens du Grand Siècle. « Cette inspiration, écrit Laurent Versini, est toujours présente [...] dans les lettres de Cécile, de Danceny et de Mme de Tourvel, lettres des tourments de l'absence[1] », que Laclos devait vivre à son tour à Picpus et en Italie, et dont on retrouve les poignants accents dans sa correspondance personnelle.

---

1. Laurent Versini, in Laclos, *Œuvres complètes, op. cit.*, p. 1151, Notice.

« Secrétaires » et « Formulaires » : la vogue des manuels épistolaires

Les origines du genre épistolaire ne se confondent pas entièrement avec le genre romanesque. Ainsi, à la tradition lyrique des *Héroïdes* et des *Lettres portugaises*, se mêle celle des « Secrétaires » et « Formulaires ». Il s'agit, à l'usage du public inexpérimenté dans l'art d'écrire, de recueils de lettres toutes faites qui peuvent servir de modèles et qui prévoient une réponse pour toutes les circonstances de la vie. Ces ouvrages didactiques, particulièrement fastidieux pour le lecteur moderne, permettaient aux honnêtes gens, souvent peu cultivés, de trouver une aide pour répondre à tous les événements de l'existence et de former leur style par l'exemple. Les deux « formulaires » les plus répandus sont ceux de Jean Puget de la Serre (1594-1665) : *Le Secrétaire de la Cour, ou la manière d'écrire selon le tems* [*sic*] (1646) et *Le Secrétaire à la mode* (1641).

Ces manuels connaissent un tel succès qu'ils seront réédités sans discontinuer et pratiquement sans modification pendant plus de deux cents ans. Cette vogue s'explique aisément : aux XVIIe et XVIIIe siècles, la littérature est avant tout mondaine. Les lettres, avec les « portraits » à la manière d'un La Bruyère et les « maximes » dans le style d'un La Rochefoucauld, sont une des expressions favorites du bel esprit. Comme Gustave Lanson[1] l'a pertinemment remarqué, le XVIIIe est le siècle d'or des épistoliers. L'extrême sociabilité de l'âge des Lumières favorise donc les correspondances qui doivent se plier aux exigences mondaines et stylistiques de la « lettre bien écrite » ; faire fi des codes de la rhétorique au goût du jour et manquer aux usages revient à s'exclure du groupe social des « honnêtes gens ». Ainsi, les débutants, les femmes (alors souvent peu éduquées) et les épistoliers à court d'inspiration trouvent leur salut dans ces « Secrétaires » qui sont abondamment imités, plagiés et démarqués par un public soucieux de respecter les bienséances.

---

1. Voir introduction aux *Épistoliers du XVIIIe siècle*, Paris, Hachette, 1922.

Certains de ces « Formulaires », pour devenir plus attractifs, sortent leurs correspondants de l'anonymat et leur confèrent des personnalités marquées. Les lettres se groupent même en séries organisées et cohérentes qui constituent l'esquisse d'un récit ; on peut, par exemple, y lire les progrès de l'amour entre deux épistoliers. On perd ainsi de vue l'intérêt strictement formel et didactique des « Secrétaires » pour s'identifier aux personnages ou s'interroger sur leur sort ; on entre alors insensiblement dans l'univers romanesque. Cette forme « intriguée » revêt davantage de séduction que les modèles abstraits. Ainsi s'explique le succès de ce type d'ouvrages à l'origine du roman par lettres, qui puise donc ses racines dans la pédagogie des manuels de bienséance et de savoir-vivre épistolaires.

Outre Boursault avec *Les Lettres de Babet* (1669), l'abbé d'Aubignac (1604-1676) a su tirer parti, dans *Le Roman des lettres* (1667), de ce que la forme romancée apporte à un « Formulaire », mais les épîtres échangées par les protagonistes de son livre reflètent la galanterie superficielle du temps et n'engagent jamais le cœur – les billets se multiplient d'ailleurs tant qu'ils sont adressés à douze femmes différentes ! L'unité de l'œuvre en souffre singulièrement. L'auteur ne parvient même pas à maintenir sa fiction dans la deuxième partie de l'ouvrage qui, comparable à un « Secrétaire » traditionnel, contient par exemple des modèles de remerciements ou de condoléances sans rapport avec l'intrigue romanesque esquissée au préalable.

Ainsi, comme l'écrit pertinemment Laurent Versini, « il ne faut jamais perdre de vue en lisant *Les Liaisons dangereuses* [...] que, comme en tout roman épistolaire, le public y goûtait à la fois l'authenticité du sentiment exprimé par la première personne et l'agrément d'un manuel épistolaire intrigué, qui fut à l'origine du genre au temps [...] de l'abbé d'Aubignac et contribua à en assurer le succès jusqu'à l'époque révolutionnaire comprise[1] ».

---

1. Laurent Versini, in Laclos, *Œuvres complètes, op. cit.*, p. 1151, notice.

LE ROMAN ÉPISTOLAIRE AU XVIIIᵉ SIÈCLE

Avant 1730 le roman épistolaire n'existe pas encore vraiment en tant que tel. Non seulement les œuvres qu'on peut y associer sont très peu nombreuses – en moyenne à peine un ouvrage de ce type par an jusqu'en 1740 –, mais surtout elles s'apparentent davantage à des recueils d'héroïdes ou à des manuels de rhétorique qu'à de véritables romans par lettres. Certes, les *Lettres persanes* de Montesquieu (1689-1755) paraissent en 1721 et constituent une remarquable réussite, mais les enseignements qu'elles renferment ne seront repris que plus tard, même si elles donnèrent aussitôt lieu à de nombreuses et pâles imitations exploitant la mode de l'exotisme, la satire des mœurs et un érotisme à bon marché. Certes, le premier, Montesquieu sait donner des traits de caractère spécifiques à de nombreux correspondants et faire naître des effets dramatiques imposés par les délais de l'acheminement postal entre l'Asie et l'Occident, mais la fiction orientale et les intentions philosophiques de son livre le situent à l'écart de la tradition littéraire du roman psychologique par lettres.

Le mérite de la création du roman épistolaire sentimental revient en fait à Crébillon (1707-1777) avec *Les Lettres de la marquise de M*** au comte de R**** (1732), dont Laclos se souvient quand il brosse le portrait de Mme de Tourvel, soucieuse, comme l'héroïne de Crébillon, d'éviter les orages de la passion amoureuse et de protéger ce qu'elle appelle « sa tranquillité ». Cependant, en dépit de réelles qualités, le roman de Crébillon n'a pas suffi pour véritablement promouvoir ce genre littéraire. Il faut attendre l'immense succès des *Lettres d'une Péruvienne*, en 1747, pour que, grâce à Mme de Graffigny (1695-1758), le roman par lettres provoque un profond et durable engouement du public. Les quarante et une lettres de ce récit sont soi-disant rédigées par une jeune femme péruvienne, exilée en France et séparée de son amant, auquel elle écrit des missives qui n'atteindront peut-être jamais leur destination. Annonçant un thème qui n'apparaîtra que dix ans plus tard dans *La Nouvelle Héloïse* (1761), la romancière nous montre son héroïne offrant à son prétendant français le bonheur innocent d'une amitié pure qui n'est pas entachée par la passion. Petit roman fleur bleue débordant de sentiments élevés, d'amour impossible et de sensibilité frémissante, les *Lettres d'une Péruvienne* contribuèrent largement à la popularité du roman épistolaire en tant que genre.

Toutefois, l'œuvre à succès de Mme de Graffigny est encore formée, comme les ouvrages de ses prédécesseurs, par une correspondance unique s'adressant à un seul destinataire. C'est un roman monophonique qui ne se distingue guère du roman-mémoires et qui n'exploite toujours pas toutes les capacités virtuelles qu'offre un échange de lettres. Le modèle décisif du roman polyphonique ne tardera cependant pas à voir le jour. Il est dû à l'Anglais Richardson (1689-1761) qui, dans *Clarisse Harlowe*, paru en 1748 et traduit par l'abbé Prévost (1697-1753) en 1751, réussit à mettre en scène vingt-six correspondants auxquels il prête sa plume en variant tour à tour le style de chacun d'eux. Mais l'exemple de Richardson, malgré un éclatant succès, ne fit pas immédiatement école. Les lecteurs, habitués aux facilités de la monophonie, n'étaient pas prêts à se plier à cette diversité foisonnante de tons et les auteurs, quant à eux, se heurtaient à une réelle difficulté d'écriture : trouver la langue convenable pour chaque personnage.

Richardson – fût-ce tardivement – eut néanmoins des héritiers. Le plus illustre d'entre eux fut J.-J. Rousseau (1712-1778) qui, dans *La Nouvelle Héloïse* (1761), prouva que le roman épistolaire « pouvait conjuguer lyrisme des hymnes et vérité de l'analyse, profondeur de la méditation et art de la composition, polyphonie et unité de style[1] ». Dès lors les romans monophoniques, jadis si prisés, lassent les lecteurs et font l'objet de vives critiques dans les journaux du temps. « La polyphonie assure un grand succès de librairie aux *Lettres du marquis de Roselle* (1764) par Mme Élie de Beaumont (1729-1783) ; Crébillon lui-même s'y essaie dans les *Lettres athéniennes* (1771) ; Dorat (1734-1780) donne des *Liaisons dangereuses* avant la lettre

---

1. Laurent Versini, in Laclos, *Œuvres complètes, op. cit.*, p. 1152, Notice.

dans *Les Sacrifices de l'amour*[1] (1771) et *Les Malheurs de l'inconstance* (1772). Le reflet de cette mode se retrouve encore, par exemple, dans le roman d'*Evelina* (1779) par Miss Burney, auquel Laclos s'est intéressé[2]. »

LES LIAISONS DANGEREUSES, CHEF-D'ŒUVRE DU ROMAN ÉPISTOLAIRE

Il faudra cependant attendre *Les Liaisons dangereuses* pour que le roman par lettres trouve son originalité profonde. Laclos a dégagé l'essence de ce genre littéraire. Son mérite le plus éminent, outre l'usage systématique et parfaitement maîtrisé de la polyphonie, est d'avoir donné une valeur dramatique à la composition par lettres. Avec lui, celles-ci non seulement reflètent le caractère spécifique de chaque personnage, mais encore deviennent la substance même du roman où elles jouent un rôle souvent décisif dans le ressort de l'intrigue ; l'accord entre la forme du livre et le thème du récit est ainsi magistralement assuré.

Laclos a donc su tirer ingénieusement parti de ce qui n'avait guère été exploité par ses devanciers. Certes, il sacrifie à la mode et au goût du jour quand il choisit de mener son récit à travers la correspondance de ses personnages, mais, à la différence de ses prédécesseurs, il tente – ce qui est neuf – de créer une fiction dont les divers moments paraissent aussi vraisemblables que nécessaires. Sa première habileté est d'avoir créé le couple Valmont-Merteuil, d'avoir situé, au cœur du roman, deux héros que leur tempérament, leurs conceptions et leur passé poussent à agir, à éprouver, à exister en quelque sorte à travers les lettres qu'ils écrivent. Valmont-Merteuil, c'est d'abord une complicité, mais une complicité nourrie et exprimée par une correspondance.

---

1. Titre complet : *Les Sacrifices de l'amour ou lettres de la vicomtesse de Sénanges et du chevalier de Versenay.*
2. Laurent Versini, in Laclos, *Œuvres complètes, op. cit.*, p. 1152, Notice.

D'autre part, le caractère épistolaire du livre convient parfaitement aux protagonistes du drame, dans la mesure où le vicomte et la marquise séduisent, corrompent à distance et se plaisent à agir indirectement. Valmont, par exemple, n'utilise pas son charme pour conquérir Cécile ; le procédé serait trop simple et ne saurait satisfaire son goût du risque et de la virtuosité. Il trouve beaucoup plus subtil de passer par Danceny, qui aime Cécile, pour se procurer la clef de la chambre de la jeune fille (voir *L.* 88, 89 et 92 à 96). Or, Valmont n'a pu devenir l'amant de la petite Volanges que grâce à Mme de Merteuil qui a persuadé la mère de Cécile de conduire sa fille à la campagne chez la tante du vicomte (*L.* 63). La corruption de Cécile est donc le fruit d'un double travail indirect où les lettres jouent un rôle capital. Enfin, l'effet est d'autant plus vivement ressenti par le lecteur qu'on ignore jusqu'à la dernière lettre (96) que tout était prémédité.

La distribution des lettres

La place occupée par les lettres revêt, elle aussi, une grande importance et Laclos a su les disposer pour faire ressortir l'esprit de calcul de ses personnages. Tantôt il nous met d'abord sous les yeux une lettre de Mme de Merteuil ou de Valmont annonçant comment ils vont agir et expliquant pourquoi ils ont opté pour telle ou telle solution, puis il nous fait lire ensuite une lettre de leur victime où se trouve confirmée la sûreté de leur méthode (voir *L.* 38 et 39). Tantôt, pour éviter toute monotonie et ne pas user par la répétition les effets d'un procédé trop systématique, Laclos change de technique et choisit les révélations rétrospectives : ce que le lecteur imputait au hasard se révèle, en fait, être le fruit d'une préméditation. Ainsi, la lettre 63 nous met au courant d'une manœuvre de la marquise restée jusqu'alors secrète : elle a informé Mme de Volanges des amours de sa fille avec Danceny pour resserrer les liens qui unissent les jeunes gens en plaçant entre eux l'obstacle de la mère de Cécile. De cette machination seuls les effets nous ont d'abord été présentés (*L.* 59 à 62) ; nous n'en connaîtrons qu'ultérieurement la cause.

L'organisation des lettres entre elles obéit donc à certaines exigences et le romancier a, par là même, transformé un genre romanesque conventionnel en un véritable moyen de création. Mais les efforts de Laclos n'ont pas uniquement porté sur la correspondance des seuls personnages principaux. Ses intentions esthétiques s'étendent à l'œuvre entière et la disposition de certains groupes de lettres les uns par rapport aux autres n'est pas fortuite. Ainsi, par exemple, le roman s'ouvre par une lettre de Cécile à Sophie, immédiatement suivie par une lettre de Mme de Merteuil à Valmont. Le contraste est saisissant et Laclos l'a voulu ; ici s'exprime l'ingénuité puérile, là le froid calcul de la vengeance. Dès le début, les deux thèmes essentiels du livre sont proposés au lecteur : innocence et perversité. Voici d'autres exemples où la juxtaposition, l'ordre ou la place des missives contribuent à créer de tels effets :

– la fameuse lettre 81, où Mme de Merteuil fait l'histoire de sa vie, se détache d'autant mieux dans sa singularité qu'elle est encadrée par des lettres (Danceny-Cécile ; Cécile-Danceny) dont l'esprit juvénile fait ressortir la précocité anormale de la marquise ;

– dans les deux groupes symétriques constitués par les lettres 97-98 et 104-105, nous voyons Cécile et sa mère s'adresser simultanément à Mme de Merteuil pour lui demander conseil et recevoir, dans le même temps, l'une, les avis de la vertu, l'autre, ceux du vice ;

– dans le groupe 116-117-118, Laclos stigmatise une même attitude chez Cécile et chez Danceny ; la lettre 117 est écrite par Cécile à Danceny sous la dictée de Valmont, alors que les lettres 116 et 118 sont deux messages d'amour de Danceny à Cécile et à Mme de Merteuil. Un tel assemblage rend sensible chez les deux jeunes gens un comportement qui les entraîne à dissocier l'amour du plaisir.

Enfin, dans ce roman, pour la première fois, une réelle puissance a été conférée aux lettres. Elles sont, en fait, de véritables armes :

> Jusqu'à la fin, ce sont des lettres qui trompent, qui démasquent, qui vengent ou qui tuent. C'est une lettre dictée à Valmont par Mme de Merteuil qui tue la Présidente. C'est par une lettre à Danceny que Valmont se venge de la duplicité de son ancienne partenaire. Ce sont deux lettres qui perdent cette dernière. Laclos crée ainsi l'atmosphère de cruauté sèche et subtile qui colore son roman[1].

---

1. J.-L. Seylaz, *op. cit.*, p. 22.

Une intrigue en contrepoint

La structure générale des *Liaisons dangereuses* n'est pas, elle non plus, livrée au hasard. Elle obéit, comme la distribution des lettres, aux principes d'un art très concerté. Les intrigues imaginées par Laclos sont agencées en contrepoint et selon un jeu complexe d'analogies.

Ainsi s'explique, par exemple, le parallélisme étroit qui relie la séduction de Cécile à celle de la Présidente. On découvre en effet, chez Mme de Tourvel (*L.* 11) comme chez Cécile (*L.* 18), les mêmes illusions, le même refus de suivre les conseils de la raison et de la prudence prodigués par Mme de Volanges et Sophie Carnay. À la fin de la première partie, Mme de Tourvel supplie Valmont de quitter le château de Mme de Rosemonde et, dans le même temps, Cécile fait savoir à Danceny qu'elle ne veut plus le revoir ; or, comme la petite Volanges, qui ne tarde pas à revenir sur sa décision, la Présidente répond malgré tout aux lettres du vicomte. Au début de la troisième partie, Cécile et la Présidente se plient presque en même temps aux exigences de Valmont ; alors que la lettre 90, dont le style est décousu et désordonné, montre bien que Mme de Tourvel n'est pas loin de céder, la lettre 96 retrace les péripéties qui ont conduit Valmont à devenir l'amant de Cécile. Enfin, dans la quatrième partie, la lettre 140 nous décrit la fausse couche de Cécile, point ultime de sa lamentable aventure, et la lettre 142 nous apprend que le vicomte a expédié à la Présidente le billet de rupture qui va la tuer.

Outre la préoccupation purement esthétique qui permet à Laclos de décrire une jeune fille naïve à côté d'une femme vertueuse et de nous montrer les réactions de deux êtres différents en face d'une même situation, ce parallélisme nous révèle ce qu'il peut y avoir de commun, en dépit des apparences, entre Cécile et la Présidente : elles sont toutes les deux des victimes et leurs destins, rendus similaires par l'art du romancier, suggèrent au lecteur que la vertu ne résiste pas mieux que l'innocence aux entreprises d'un roué.

Si, pour des raisons esthétiques, Laclos a rendu symétriques le destin de Mme de Tourvel et celui de Cécile, c'est le même souci qui l'a conduit à équilibrer l'aventure Valmont-Cécile par celle de Mme de Merteuil avec Danceny. On a pu comparer ces groupes qui se constituent, ces couples qui se font et se défont à de véritables figures de ballet et Jean-Luc Seylaz écrit fort bien :

> Le lecteur éprouve ainsi, devant les mouvements des personnages principaux du roman, un plaisir qui rappelle celui que donnent les évolutions de danseurs. Il y a le quadrille entre les deux couples Merteuil-Valmont et Cécile-Danceny. Et il y a d'autre part, le pas de deux de la Présidente et de Valmont : ils sont réunis au château de Mme de Rosemonde ; Valmont s'en va ; ils sont à nouveau réunis au château ; la Présidente s'enfuit ; Valmont la rejoint à Paris et devient enfin son amant[1].

Ces déplacements, ces retours et ces départs des différents protagonistes évoquent davantage l'art théâtral que l'art romanesque et on relève ici l'un des traits fondamentaux des *Liaisons* : pureté des lignes et du dessin, construction aux formes bien définies, architecture rigoureuse. Cette géométrie est d'autant plus remarquable qu'elle n'est pas arbitraire et que les motifs équilibrés qui la constituent n'ont rien de gratuit ; ils sont habilement intégrés à la signification de l'œuvre et ils en fondent la cohérence. En effet, ce n'est pas le hasard qui mène le jeu ou conduit l'action, ce sont Mme de Merteuil et Valmont, eux-mêmes finalement dépassés et écrasés par la fatalité.

▌Le mouvement dramatique

Le manuscrit des *Liaisons dangereuses* comprend deux parties. Cependant, la coupure qui se situe au niveau de la lettre 70 n'a aucune signification particulière et ne saurait être interprétée comme marquant le centre de gravité du livre tout entier. Mais, pour se conformer aux usages de l'édition de son temps, au moment de la publication, Laclos a divisé son roman en quatre volumes. Or cette répartition, vraisemblablement imposée par des préoccupations toutes pratiques, s'avère très concertée et nous offre une structure où chaque partie forme un tout et où les coupures correspondent

---

1. *Ibid.*, p. 37.

aux grands moments de l'action. L'orchestration dramatique des *Liaisons dangereuses* a donc été, elle aussi, savamment agencée par Laclos.

Au cours de la première partie (*L.* 1 à 50) se nouent et progressent deux intrigues : Cécile-Danceny, Valmont-Tourvel. La deuxième partie (*L.* 51 à 87) est apparemment la moins dramatique. Les progrès du vicomte auprès de la Présidente et ceux de Danceny auprès de Cécile sont très lents. Cependant, cet instant du tempo romanesque est fortement animé par l'activité inlassable de Mme de Merteuil : la marquise trahit Danceny et Cécile auprès de Mme de Volanges pour accélérer le cours des événements et permettre à Valmont d'intervenir dans leur intrigue ; elle pousse sournoisement Mme de Volanges à emmener Cécile chez Mme de Rosemonde et ménage à Valmont les moyens d'y retourner sans effaroucher la Présidente ; enfin, elle parachève cette partie par sa fameuse confession (*L.* 81). Par ailleurs, au cours de ces trente-six lettres où l'action semble marquer le pas, l'intérêt du lecteur est maintenu en éveil par des épisodes qu'on a parfois considérés, à tort, comme secondaires, dans la mesure où ils ne concernent ni Mme de Tourvel ni Cécile : l'aventure de Valmont et de la vicomtesse, celle de Prévan avec les insépa-rables (*L.* 79), celle de Mme de Merteuil avec Prévan.

Le mouvement dramatique est relancé dès l'ouverture de la troi-sième partie (*L.* 88 à 124) : Valmont remporte une double victoire sur la Présidente et sur Cécile. Dès lors, les deux intrigues vont bon train : Mme de Tourvel avoue qu'elle aime Valmont et cherche son salut dans la fuite, tandis que le vicomte prépare l'assaut final grâce à la complicité involontaire du Père Anselme. D'autre part, dans le même temps, Cécile se livre à Valmont qui la corrompt, alors que Danceny manifeste les premiers signes de son goût pour Mme de Merteuil.

Enfin, c'est au cours de la quatrième partie que l'action atteint son paroxysme : défaite, abandon puis mort de la Présidente ; fin de la liaison Cécile-Valmont ; brèves amours Danceny-Merteuil ; querelle et brouille Merteuil-Valmont. Le roman s'achève par une accumula-tion foisonnante d'événements : le duel de Danceny et de Valmont, la mort de Valmont, la mort de Mme de Tourvel, l'entrée de Cécile au couvent, le départ de Danceny pour Malte, la maladie, la ruine et la fuite à l'étranger de Mme de Merteuil.

Une action théâtrale

Ce qui précède le montre bien : l'action des *Liaisons dangereuses* porte la marque du théâtre. Le thème que Laclos veut traiter est un drame. Mme de Merteuil et Valmont distribuent le malheur autour d'eux, pervertissent l'innocence et corrompent la vertu. Tout s'achève d'ailleurs par deux morts et une catastrophe générale. Exposition, montée des périls, nœud, dénouement, tous les grands moments de la tragédie sont présents :

> Deux lettres de Cécile, deux lettres de la marquise et une de Valmont forment l'exposition [...] ; en vingt pages tous les personnages sont présentés ; le roman commence lorsque les conditions sont réunies pour que l'intrigue se noue, Cécile entre dans le monde, Valmont s'en est retiré [...] Nous faisons connaissance avec des personnages dont le passé pèse sur les événements qui vont être retracés comme chez Racine ; mais ce passé qui pèse sur le présent n'est évoqué que par des allusions et nous n'en savons que ce qu'il faut pour comprendre les faits[1].

De la même façon, Laclos a supprimé les lettres inutiles à l'action (Gercourt-Merteuil, par exemple) et il a mis tout en œuvre pour que *Les Liaisons*, selon la formule de la tragédie, s'inscrivent dans le cadre d'une crise de cinq mois environ, durée dont l'auteur a tenu à souligner la brièveté en donnant des dates précises à ses lettres[2].

Au resserrement de l'action dans le temps, à l'image du théâtre classique, correspond la volonté chez Laclos de situer autant que possible les faits et gestes des personnages dans les mêmes lieux. Hormis quelques séquences secondaires qui transportent le lecteur dans le château de la Comtesse de *** ou dans la maison d'Émilie, l'intrigue se déroule à Paris et dans le château de Mme de Rosemonde. En outre, le contexte où se joue le drame est formé, comme

---

1. Laurent Versini, *Laclos et la tradition, op. cit.*, pp. 217-218.
2. On est loin, avec les 174 jours que durent *Les Liaisons*, des douze ans de *La Nouvelle Héloïse*, des six ou sept ans de *Paul et Virginie*, des quatre ans de *Manon Lescaut*.

à la scène, par une société peu nombreuse de gens du monde. Aux liens tissés par la naissance, l'éducation et les manières s'ajoutent les liens de parenté et d'amitié : Mme de Volanges est la cousine de Mme de Merteuil et l'amie intime de la Présidente. Ainsi, Laclos considère que le roman, comme le théâtre, doit se passer des personnages secondaires.

Enfin, l'unité d'action elle-même est respectée, puisque les deux victimes de Valmont ne connaîtraient pas le misérable sort qui leur est réservé sans Mme de Merteuil qui aspire à se venger d'un infidèle en corrompant sa fiancée et d'une rivale en punissant Mme de Tourvel. L'intrigue tout entière est donc organisée par la marquise et, une fois la Présidente immolée par Valmont à Mme de Merteuil, il ne reste plus que la guerre entre les deux complices devenus rivaux – tel est, d'ailleurs, le véritable thème du roman dont le motif était annoncé dès la lettre 2 par l'impatience de la marquise devant l'absence de Valmont. *Les Liaisons dangereuses* sont avant tout l'histoire d'une vengeance dont les différents moments sont inéluctables et dont rien ne saurait enrayer l'inexorable processus. Par une contraction qui ressortit bien à l'esthétique théâtrale, l'action vise à se resserrer autour d'un duel où les amis de naguère finissent par se livrer une lutte sans merci.

4 | Des langages contrastés

Les principaux personnages des *Liaisons dangereuses* s'imposent d'emblée au lecteur et le fascinent. Ils doivent leur extraordinaire présence à l'analyse psychologique, mais ils ne seraient que des entités froides et sans âme si Laclos, qui supprime délibérément toute description de l'apparence physique, n'avait pris soin de les incarner par un style propre à chacun d'eux. Le romancier a d'ailleurs tenu à souligner la diversité de ton de chaque correspondant et il se félicite, dans la *Préface du rédacteur*, de la variété des styles de son œuvre, « mérite qu'un Auteur atteint difficilement ».

La voix des personnages diffère en fonction de leur caractère, des événements et des lecteurs auxquels ils s'adressent. Mme de Merteuil n'écrit pas de la même manière un récit piquant, une analyse psychologique ou une déclaration de guerre ; Valmont n'a pas le même style selon qu'il parle à Cécile ou à la marquise. Le ton d'un personnage peut évoluer : Cécile et surtout Danceny acquièrent l'usage de la plume en même temps que celui du monde ; Mme de Tourvel et Valmont apprennent peu à peu le langage du sentiment.

LE LANGAGE DES PERSONNAGES SECONDAIRES

Azolan, Bertrand, le Père Anselme

Azolan, chasseur de Valmont, écrit comme il parle. La lettre 107 qu'il rédige à l'intention de son maître est peu construite ; les phrases ne sont pas élaborées ; elles ignorent la subordination et ne sont reliées l'une à l'autre que par la coordination « et », quand elles ne se content pas de la juxtaposition par un point-virgule. Azolan abuse du verbe *être* pour rendre le mouvement (« j'ai été ») et son style est généralement très proche de l'incorrection.

Bertrand, en revanche, adopte un ton cérémonieux et volontiers sentencieux. Ce serviteur fidèle et respectueux ne manque pas de sensibilité et il est capable d'ébaucher une oraison funèbre, véritable pastiche de Bossuet : « [...] quand j'ai reçu dans mes bras à sa naissance ce précieux appui d'une maison si illustre, aurais-je pu prévoir que ce serait dans mes bras qu'il expirerait et que j'aurais à pleurer sa mort ? Une mort si précoce et si malheureuse » (*L*. 163).

Le Père Anselme multiplie les hébraïsmes : « le Dieu de miséricorde... le Dieu de vengeance ». Sa lettre (*L*. 23) est pleine d'onction et dénote un personnage fort satisfait de soi. Les images mystiques les plus banales s'y retrouvent et tous ces lieux communs de la rhétorique religieuse trahissent un homme qui pense peu par lui-même.

▌Madame de Rosemonde

C'est chez Mme de Rosemonde qu'on trouve les expressions et les tours les plus anciens. Sa manière de s'exprimer est un peu précieuse et surannée : « Ma chère belle » (à Mme de Tourvel) ; « Et sans me dire qu'elle [sa santé] soit bonne il ne m'a point articulé pourtant qu'elle fût mauvaise » (*L*. 122) : *articuler* a le sens d'« affirmer catégoriquement que » ; « La petite Volanges [...] vous trouve furieusement à *dire* » (*L*. 112) : *dire* au sens de « regretter ».

Mêmes habitudes archaïsantes dans la syntaxe qui rappelle l'époque Louis XIV : « Cet emploi d'adoucir vos peines, ou d'en diminuer le nombre, est le seul que je veuille, que je puisse remplir en ce moment » (*L*. 130) : l'infinitif complément de nom est très courant chez Bossuet. Bien qu'elle appartienne, par son éducation, au siècle passé, Mme de Rosemonde est restée jeune et son style est empreint d'une réelle vivacité qui fait souvent songer à Mme de Sévigné : lorsque son rhumatisme l'empêche d'écrire, elle est « manchote ». Elle invente des expressions pittoresques et des formules malicieuses : Cécile « bâille à avaler ses poings » et « nous fait l'honneur de s'endormir profondément toutes les après-dîners » (*L*. 112).

▌Madame de Volanges

Mme de Volanges, elle aussi, emploie une langue teintée d'archaïsme, mais on chercherait en vain chez elle l'expression d'une forte personnalité ; on ne trouve guère sous sa plume que des clichés, des expressions toutes faites consacrées par le monde ou par l'Église. C'est dire que Mme de Volanges est volontiers sentencieuse et moralisatrice : « Vos regards, purs comme votre âme, écrit-elle à Mme de Tourvel, seraient souillés par de semblables tableaux » (L. 9). Elle use fréquemment d'images grandiloquentes : « Écoutez, si vous voulez, la voix du malheureux qu'il a secouru ; mais qu'elle ne vous empêche pas d'entendre les cris de cent victimes qu'il a immolées » (L. 32).

Attachée aux conventions, esclave des usages mondains et religieux, Mme de Volanges éprouve cependant une réelle amitié pour la Présidente et son style sait alors s'émouvoir. Il en arrive même à se hausser jusqu'au lyrisme – une seule fois il est vrai – au cours d'une brève oraison funèbre où les balancements de rhétorique, les groupes binaires et ternaires appuient le développement :

> Tant de vertus, de qualités louables et d'agréments ; un caractère si doux et si facile ; un mari qu'elle aimait et dont elle était adorée ; une société où elle se plaisait et dont elle faisait les délices ; de la figure, de la jeunesse, de la fortune ; tant d'avantages réunis ont donc été perdus par une seule imprudence ! Ô Providence ! sans doute il faut adorer tes décrets ; mais combien ils sont incompréhensibles ! (L. 165).

LE LANGAGE
DE CÉCILE ET DE DANCENY

▌La langue et le style de Cécile

Mme de Merteuil avait fort bien jugé le ton des lettres de Cécile quand elle lui écrivait : « Voyez donc à soigner davantage votre style. Vous écrivez toujours comme un enfant. Je vois bien d'où cela vient ; c'est que vous dites tout ce que vous pensez, et rien de ce que vous ne pensez pas » (L. 105). En effet, le langage de la petite Volanges est fréquemment enfantin : « le Monsieur » (*L.* 1) ; « ce vilain Monsieur de Gercourt » (*L.* 39) ; « il y a déjà tout plein de moments où je n'y songe plus » (*L.* 109)... De plus, le ton qu'elle emploie est souvent familier et trahit une éducation peu soignée ; elle n'hésite pas à utiliser « ça » pour *cela* : « Ah ! ça m'a fait bien plaisir » (*L.* 14) ; « ça me faisait de la peine... » (*L.* 16). On peut encore relever, au niveau des incorrections grammaticales, un barbarisme : « Ne m'en voulez pas » (*L.* 94) et des solécismes : « Je suis bien fâchée que vous êtes encore triste » (*L.* 30) ; « je ne sais pas qui est-ce qui nous a trahis » (*L.* 69).

Le vocabulaire de Cécile est très pauvre. Elle n'exprime ses états affectifs que par des tournures vagues et impersonnelles ; elle est incapable de désigner par un terme précis les sentiments qu'elle éprouve. C'est toujours le mot-outil *cela* ou *ça* qu'on retrouve dans ses lettres : « Cela me fâche » (*L.* 14), « ça me faisait de la peine » (*L.* 16 et 17). Pour faire part d'un émoi qui l'a vivement touchée, elle ne dispose que de rares substantifs ou qualificatifs – *peine*, *plaisir*, *chagrin*, *triste*, *chagrine* – et elle n'use que d'un seul renforcement grammatical pour traduire une émotion plus intense : l'adverbe *bien*, dont elle abuse devant les adjectifs, les adverbes, les verbes et même les substantifs : elle est « bien embarrassée » (*L.* 16), « bien en peine » (*L.* 16) ; elle a « bien pleuré » (*L.* 82)...

Par ailleurs, Cécile n'évite pas les répétitions de termes (un paragraphe de la lettre 27 contient cinq fois le verbe *écrire* et cinq fois le verbe *dire*). Elle écrit comme elle parle. Ses liaisons favorites sont « et puis » (*L.* 14, 18, 82, etc.), « c'est que » (*L.* 109). Ses phrases s'ouvrent fréquemment par une interjection enfantine : un « oh ! » par exemple. « Dans l'ensemble, écrit Yves Le Hir, la langue et le style de Cécile Volanges sont donc caractérisés par la spontanéité. On croit entendre sa parole précipitée, coupée par la joie ou le découragement, marquant avec fidélité les divers mouvements de son âme[1]. »

---

1. In Introduction aux *Liaisons dangereuses*, Paris, Garnier, 1952, p. XXVII.

Le registre de Danceny

Danceny, amoureux sentimental et doucereux, dispose d'un registre plus riche et plus élaboré que celui de la petite Volanges. Il faut avant tout noter ici le caractère le plus original de sa correspondance : son évolution. Encore presque aussi ingénu que celui de Cécile au début du roman, le ton de ses lettres va peu à peu changer, devenir celui d'un homme à bonnes fortunes, se teinter de marivaudage, s'élever jusqu'au lyrisme rousseauiste et prendre enfin, dans les derniers écrits, des accents plus sages et plus modérés.

Ainsi les billets qu'il adresse à Cécile semblent ne pas connaître d'autre vocabulaire que les mots *amour, bonheur*, etc. ; dans une seule lettre (31), on relève trois fois le mot *amour*, quatre fois le verbe *aimer*, trois fois le substantif *bonheur*, trois fois l'adjectif *heureux*. Il suffit de comparer ces premiers essais épistolaires aux messages que Danceny fait parvenir à Mme de Merteuil pour qu'apparaisse immédiatement le nouvel aspect de sa personnalité. La première lettre marivaude : « Si j'en crois mon Almanach, il n'y a, mon adorable amie, que deux jours que vous êtes absente ; mais si j'en crois mon cœur, il y a deux siècles, etc. » (*L.* 118). Dans la seconde lettre (148) où les *tu* et les *nous* alternent savamment, Danceny renonce à la raison et embrasse l'idéal sentimental si cher à Rousseau. Il adhère pleinement à l'« amour véritable » : « Quoi, pour avoir été éclairés plus tard nos cœurs en seraient-ils moins purs ? » Dans la lettre 150, enfin, le *tu* se généralise, le style acquiert une réelle valeur poétique et la prose est scandée par un rythme cadencé : « Tu le laisseras donc, rêveur et solitaire, s'égarer loin de toi ? » Toutefois, comme l'écrit L. Versini, « si Laclos s'est amusé à montrer combien l'écolier change, il n'en reste pas moins que ses progrès ne font que développer [...] toutes les modes, toutes les influences, son style, tous les styles, celui de Marivaux, celui de Jean-Jacques Rousseau, le style entrecoupé de Diderot même[1], ce qui est très rare dans *Les Liaisons*.

---

1. Voir la lettre 92 où se multiplient exclamations, interrogations, points de suspension, phrases interrompues, etc.

Même a une nature sensible, une nature d'artiste, de poète, sa sensibilité passive s'oppose à la sensibilité active de Valmont et en fait une victime toute désignée du danger des liaisons[1]. »

LE LANGAGE
DE MADAME DE TOURVEL

Clichés du langage religieux et tours mondains

Le langage de la Présidente est celui des livres pieux et des manuels d'édification. Dans ce vocabulaire, l'amour devient un « délire dangereux » (*L.* 50), un « poison dangereux » (*L.* 124). Mme de Tourvel fait pourtant peu allusion au Ciel (*L.* 90 et 125) ou à Dieu (*L.* 99 et 124). Dans la religion, elle est surtout sensible aux exigences morales et aux interdits : « Ce qui n'eût été que de la candeur avec tout autre devient une étourderie avec vous, et me mènerait à une noirceur, si je cédais à votre demande » (*L.* 43) ; un tel style ne renferme aucune image ; l'antithèse *candeur-noirceur* n'est qu'un cliché de la rhétorique banale des gens d'Église. Les allusions aux paraboles évangéliques paraissent naturelles sous cette plume : « Ne sais-je pas que l'Enfant prodigue, à son retour, obtint plus de grâces de son père que le fils qui ne s'était jamais absenté » (*L.* 124).

Toutefois, les tours les plus frappants ne sont plus dévots, mais contiennent des reflets de la mode : « Oh ! que la haine est douloureuse ! comme elle corrode le cœur qui la distille ! » (*L.* 161) : *distille* et *corrode* renvoient aux images précieuses, à la langue édulcorée des salons. En effet, Mme de Tourvel est aussi une mondaine et sa prose se plie tout naturellement aux usages en vigueur dans la société qu'elle fréquente.

Le « chant de la passion »

Si on peut relever certains éléments constants dans le style et la langue de la Présidente, il apparaît néanmoins que toute sa corres-

---

1. Laurent Versini, *Laclos et la tradition op. cit.*, p. 324.

pondance exprime le conflit douloureux qui la déchire, que sa passion est parfaitement reflétée par son écriture et que le ton de ses lettres évolue très sensiblement. Mme de Tourvel tente de résister à l'amour et cet effort se manifeste fort bien au niveau du style ; elle fait tout ce qu'elle peut, dans un premier temps, pour maintenir entre Valmont et elle la distance du langage mondain. Ainsi, alors que les deux premières lettres (26 et 41) adressées au vicomte sont riches en périodes, en grands rythmes ternaires, en symétrie, la lettre 43 est déjà différente ; si le mouvement qui l'anime reste encore quelque peu oratoire, les grandes périodes ont disparu et le ton est moins ample, moins cérémonieux.

La lettre 56 offre un changement beaucoup plus net encore ; les trois premiers alinéas présentent une cohérence stylistique certaine, preuve que Mme de Tourvel exerce encore sur elle un contrôle, mais le dernier paragraphe révèle un émoi de plus en plus marqué ; le raisonnement fait place à une divagation inquiète et passionnée ; la lettre s'achève enfin sur un rythme qui trahit un trouble très profond :

> Que m'importe, après tout ? pourquoi m'occuperais-je d'elles ou de vous ? de quel droit venez-vous troubler ma tranquillité ? Laissez-moi, ne me voyez plus ; ne m'écrivez plus.

J.-L. Seylaz écrit qu'après la défaite morale de la Présidente (*L.* 90), « on croit entendre par instants, s'élevant d'un vocabulaire plus sentimental et d'une cadence plus musicale, le chant même de Rousseau, le chant de la passion[1] » :

> Ô vous, dont l'âme toujours sensible, même au milieu de ses erreurs, est restée amie de la vertu, vous aurez égard à ma situation douloureuse, vous ne rejetterez pas ma prière ! Un intérêt plus doux, mais non moins tendre, succédera à ces agitations violentes : alors, respirant par vos bienfaits, je chérirai mon existence, et je dirai dans la joie de mon cœur : « ce calme que je ressens, je le dois à mon ami » (*L.* 90).

---

1. J.-L. Seylaz, *op. cit.*, p. 64.

LE LANGAGE
DU VICOMTE DE VALMONT

▌Une maîtrise étonnante

Le vicomte est le personnage qui écrit le plus (51 lettres sur 175). C'est lui qui a le plus grand nombre de correspondants et qui dispose de la palette stylistique la plus vaste et la plus variée. Il adapte en effet avec une habileté consommée le ton de ses écrits à la psychologie et à la catégorie sociale de leurs destinataires. Avec Azolan (*L.* 101), Valmont sait parler en maître et passer subtilement de la distance à la familiarité ; avec le Père Anselme (*L.* 120), il adopte un style souple et onctueux où fourmillent les qualificatifs les plus conventionnels ; avec Cécile, il s'efforce de jouer sur la vanité, l'égoïsme et le goût du mystère : il est toujours très efficace et ne se perd pas en vaine rhétorique ; avec Danceny enfin, c'est le ton de l'ami ou du frère aîné que Valmont utilise le plus couramment.

Quand il s'adresse à la Présidente, le vicomte joue un autre rôle. Il use du vocabulaire classique (*étonner*, *séduire*, *envier*, *rigueur*, *tourments*, *douceurs*, *transports*...) et sa langue emprunte ses formules aux tons traditionnels de la galanterie précieuse. Termes abstraits et adjectifs superlatifs sont alors fréquemment associés en des couples conventionnels : « âme céleste » (*L.* 36), « doux empire » (*L.* 83), « charme impérieux » (*L.* 24), « puissance invincible » (*L.* 83), « noble enthousiasme » (*L.* 83) ; il s'agit là de véritables clichés choisis à dessein pour persuader la Présidente que le sentiment qu'on lui porte est noble et désintéressé. D'ailleurs, l'amour dont Valmont parle à Mme de Tourvel correspond très précisément à ce dont elle peut rêver : il est « inaltérable » (*L.* 52), « pur » (*L.* 24, 83, 137), « doux » (*L.* 24), « tendre » (*L.* 137).

▌Un épistolier brillant

Si ces exercices de style attestent l'étonnante maîtrise à laquelle est parvenu cet expert en rouerie, ils ne nous permettent pas de connaître la véritable langue du vicomte. Celle-ci nous est essentiellement révélée par la correspondance qu'il entretient avec Mme de Merteuil. Avec elle, les masques tombent et on découvre le vrai Valmont : brillant, spirituel, persifleur. Le ton de ses écrits est celui-là même de la conversation ; il émaille ses propos de mots à la mode (*usage*, *gauche*, *bégueule*...), de termes familiers (*rabâchage*, *radotage*...) ; il abuse des superlatifs : « un des plus violents accès d'humeur que femme puisse avoir » (*L.* 40). Sous sa plume tout est « infiniment, cruellement insurmontable, interminable, inexorable, insoutenable ». Il manie sans cesse les hyperboles, expressions littéraires de sa fougue naturelle : « dévorer son ennui » (*L.* 34), « ne pas se posséder de joie » (*L.* 47). Il mélange volontiers les genres et mêle avec plaisir, comme pour s'encanailler, les termes de la politesse à ceux de la langue vulgaire : « le drôle » (*L.* 21), « baragouiner » (*L.* 47).

Images et métaphores

Les images dont use Valmont ne sont guère originales et il y a peut-être trop peu de passion ou d'émotion en lui pour qu'il en soit autrement et que son imagination puisse s'enflammer. On découvre avant tout dans sa correspondance des métaphores traditionnelles : « Réduit à brûler d'un amour que je sens bien qui ne pourra s'éteindre » (*L.* 83), ou des formules nobles héritées de l'époque classique : « L'amour qui prépare ma couronne, hésite lui-même entre le myrte et le laurier, ou plutôt, il les réunira pour honorer mon triomphe » (*L.* 4). Mais c'est surtout la guerre qui offre à ce roué des images devenues rituelles chez les précieux depuis le siècle précédent :

> [...] mon inhumaine, qui se tient sur la défensive, a mis à éviter les rencontres une adresse qui a déconcerté la mienne [...] Je ne veux être vaincu par elle en aucun genre. Mes lettres mêmes sont le sujet d'une petite guerre [...] Il faut pour chacune une ruse nouvelle [...] (*L.* 34).

Une prose cadencée

Enfin, le style de Valmont est caractérisé par la recherche systématique des cadences poétiques :

Vous connaissez mon chasseur : trésor d'intrigue et vrai valet de comédie (*L.* 15).

Né pour l'amour, l'intrigue pouvait le [il s'agit de son cœur] distraire et ne suffisait pas pour l'occuper ; entouré d'objets séduisants, mais méprisables, aucun n'allait jusqu'à mon âme ; on m'offrait des plaisirs, je cherchais des vertus ; et moi-même enfin, je me crus inconstant, parce que j'étais délicat et sensible (*L.* 52).

Ces procédés de rhétorique (antithèses, parallélismes...) accentuent le rythme de la prose du vicomte, mais lui donnent une apparence travaillée et très artificielle. Il faut y voir le « reflet d'une âme sans cesse occupée à dissimuler et à feindre ; jamais passionnée, rarement émue[1] ».

LE LANGAGE
DE LA MARQUISE DE MERTEUIL

Le ton de Valmont et celui de Mme de Merteuil n'ont qu'une parenté superficielle. Alors qu'on discerne sous l'aisance et la facilité du vicomte un effort très réel de composition, les lettres de la marquise donnent un parfait exemple de naturel, de dynamisme et de vie intense. Mme de Merteuil n'alourdit pas son style par des effets oratoires, des ornements extérieurs, d'inutiles morceaux d'éloquence. Elle recherche la brièveté, la variété et l'efficacité. Elle maîtrise pleinement la langue dont elle use et elle désire avant tout convaincre. L'acte à venir se dessine déjà en filigrane à travers la prose nerveuse et tendue de sa correspondance.

▌Richesse du vocabulaire

Ce qui frappe d'abord le lecteur chez Mme de Merteuil, c'est le vocabulaire très familier qu'elle emploie, c'est le ton – plein de vivacité et de mouvement, très proche de la conversation – qui anime la plupart de ses lettres. En voici quelques exemples :

Le plaisant serait qu'il débutât par là (*L.* 2) ;
sa lettre de rupture qui est une véritable capucinade (*L.* 51) ;

---

1. Y. Le Hir, Introduction aux *Liaisons dangereuses op. cit.*, p. XLIII.

je chambrai la petite dans un coin (*L*. 63) ;
un brouillon d'amoureux (*L*. 85)…

Le lexique de la marquise est également très riche et très varié – nous en reproduisons ici quelques termes relevés et analysés par Y. Le Hir dans l'introduction qu'il a consacrée aux *Liaisons dangereuses*[1]. Outre les mots qu'elle utilise avec le sens qu'ils avaient au XVIIᵉ siècle – *injure* (*L*. 5), *soins* (*L*. 81), etc. –, Mme de Merteuil ponctue ses écrits de termes nouveaux : « Que cette ridicule distinction est bien un vrai déraisonnement de l'amour » (*L*. 9), « demi-jouissance » (*L*. 5), « se remarier » (*L*. 152), « recacheter » (*L*. 105), « être fixé » (*L*. 81) pour « être renseigné ». Elle confère à certains vocables des extensions de sens curieuses : « précautions locales » (*L*. 81) : propres aux lieux ; « vous m'écrivez la lettre la plus maritale qui soit » (*L*. 152) : celle qui ressemble le plus à la lettre qu'un mari pourrait écrire ; « l'attentif Belleroche » (*L*. 121) : qui a des attentions et fait sa cour. Les mots exotiques, d'introduction récente, ne lui déplaisent pas ; ainsi, *duègne* (*L*. 81) et *odalisque* (*L*. 141), que le *Dictionnaire de l'Académie* n'admettra qu'en 1798, ou *ottomane* (*L*. 10) qui n'aura droit de cité dans la langue qu'en 1835.

La langue des salons

Quant à l'influence de la société galante du XVIIIᵉ siècle sur le style de Mme de Merteuil, elle se manifeste dans des termes ou des expressions comme : « Cela n'a que quinze ans » (*L*. 2) : *cela* fait partie du jargon des salons ; « quand une femme s'est encroûtée à ce point, il faut l'abandonner à son sort ; ce ne sera jamais qu'une espèce » (*L*. 5) : *encroûter* ne sera admis qu'en 1835 par l'Académie, et *espèce* est un substantif méprisant qui définit un être indigne de toute considération. La « petite maison » (*L*. 10) est un mot caractéristique de l'époque ; il revient souvent dans la littérature romanesque du siècle des Lumières. Dans le même ordre d'idée, il faut aussi noter : « Je raffole de cet enfant : c'est une vraie passion » (*L*. 20), « le suffrage de nos femmes à prétentions » (*L*. 81), « avec

---

1. *Op. cit.*, p. XXXIV.

quelqu'un de plus usagé que Danceny » (*L.* 51). Très typiques, enfin, et particulièrement représentatifs des mœurs mondaines les termes hyperboliques : « L'effet de mon saisissement mortel » (*L.* 85), « il y avait au moins une mortelle demi-heure que mes femmes… » (*L.* 87).

Variété des tonalités

Mme de Merteuil sait nuancer son style de toutes les tonalités ; elle est experte dans l'art de le plier à toutes les inflexions. Elle ironise : « Vous reviendrez à 10 heures souper avec le bel objet » (*L.* 2), « la petite personne […] est assez farouche » (*L.* 5). Elle méprise : « l'insultante confiance » (*L.* 113). Elle joue le détachement : « Je surmontais ma petite honte » (*L.* 81). Elle manie la vulgarité : « Mais adieu, j'ai faim » (*L.* 63). Lorsque Cécile vient de faire une fausse couche, elle se montre cynique : « À propos, je vous remercie de vos détails sur la petite Volanges » (*L.* 141). Elle puise, par dérision, ses références dans les Saintes Écritures : « J'ai été, suivant le précepte, visiter mes amis dans leur affliction » (*L.* 63). Dans la lettre 113, elle se livre même, au sujet de Mme de Tourvel, à une véritable parodie d'une scène évangélique :

> […] son unique consolation, son seul plaisir doivent être à présent de parler de vous et de savoir ce que vous faites […] Ce sont les miettes de pain tombantes de la table du riche ; celui-ci les dédaigne ; mais le pauvre les recueille avidement et s'en nourrit[1].

Images, métaphores, comparaisons

L'esprit de la marquise est animé par une imagination sans cesse active et son style s'enrichit de métaphores ou de comparaisons aussi bien venues qu'inattendues : « Je lis un chapitre du *Sopha*, une lettre d'Héloïse et deux contes de La Fontaine, pour recorder les différents tons » (*L.* 10), « il serait homme à ne pas approuver notre renouvellement de bail » (*L.* 20), « ses parents tout hérissés d'honneur » (*L.* 81), « ces sortes de femmes ne sont absolument que des machines à plaisir » (*L.* 106), etc. Yves Le Hir[2] a recherché les

---

1. Voir Nouveau Testament, Épître de Jacques, I, 27.
2. Y. Le Hir, *op. cit.*, p. XXXVII.

sources des images qui se glissent si naturellement sous la plume de Mme de Merteuil. Certaines sont empruntées à la vie quotidienne :

> Eh ! depuis quand voyagez-vous à petites journées et par des chemins de traverse ? Mon ami, quand on veut arriver, des chevaux de poste et la grande route ! (*L*. 10.)

D'autres comparaisons tirent leur origine de la maladie : « C'est une fièvre qui, comme l'autre, a ses frissons et son ardeur » (*L*. 85) ; du jeu : « Ce fut un coup de partie qui me valut plus que je n'avais espéré » (*L*. 81) ; du théâtre : « Quand l'héroïne est en scène, on ne s'occupe guère de la confidente » (*L*. 146) ; de la guerre : « Une des choses qui me flatte le plus, est une attaque vite et bien faite, où tout se succède avec ordre quoiqu'avec rapidité » (*L*. 10), etc.

La marquise se plaît même à utiliser non seulement le charme poétique du Moyen Âge récemment redécouvert – « Telle, dans nos anciens tournois, la Beauté donnait le prix de la valeur et de l'adresse » (*L*. 10) – mais encore les prestiges dont s'auréolaient au XVIIIe siècle les climats exotiques et les pays d'Orient : « Je me plaisais à le considérer comme un Sultan au milieu de son sérail » (*L*. 10).

5 | Le sens de l'œuvre

LE VRAI SCANDALE DES *LIAISONS*

Il est temps, désormais, de se demander pourquoi *Les Liaisons dangereuses* ont soulevé, dès leur parution, une telle réprobation et un tel tollé. Laclos, bien sûr, dévoilait des vérités compromettantes pour une certaine société, mais le véritable scandale n'est pas là.

> Pour la première fois, dans la lumière indiscrète que ces lettres projettent sur des secrets d'alcôve, ce qui peut se cacher sous l'apparente complicité de l'amour-goût, sous l'escrime de l'homme et de la femme, du désir et de la coquetterie, révélait sa vraie nature : l'érotisme. Les êtres croyaient rechercher des plaisirs, sinon innocents, du moins sans danger, des plaisirs «à fleur de peau» ; l'homme et la femme s'imaginaient, dans ce jeu traditionnel de l'attaque et de la défense, communier dans le goût du plaisir tout en donnant satisfaction aux convenances ; et Laclos leur apprenait, avec une évidence inconnue avant lui, la gravité et la cruauté de ce jeu, tout ce qu'il peut y entrer de volonté d'humilier et de contraindre. Et jamais livre n'avait ruiné à ce point ce que Suarès appelle «l'ingénuité sacrée du désir et sa candeur nécessaire[1] ».

Au fond, cette œuvre révélait soudain la toute-puissance de la sensualité et mettait à nu la force invincible de cet instinct qui peut devenir un redoutable moyen d'exercer sur autrui sa force et son emprise, quand on en connaît les secrets et qu'on est prêt à les exploiter sans scrupule. Bien qu'amoureux, Cécile et Danceny ne résistent pas à l'appel des sens, à l'ivresse de la chair. Dans la peinture de ces deux adolescents, Laclos détruit un préjugé de son temps : la croyance traditionnelle en la pureté et en l'innocence des êtres jeunes. Quant à la défaite de Mme de Tourvel, elle montre la

---

1. J.-L. Seylaz, *op. cit.*, p. 92.

vanité d'une autre croyance : la supériorité de la vertu sur le vice. « Ce n'était [donc] pas le système de Valmont et de Mme de Merteuil qui était particulièrement scandaleux. Mais c'était que ce système parût vrai, que son succès fût vraisemblable[1]. »

LE MAL, L'INTELLIGENCE ET LA LIBERTÉ

En fait, ce roman est écrit et conçu non du point de vue de l'innocence persécutée, mais en fonction du mal et de son triomphe. Dans *Les Liaisons dangereuses*, la méchanceté semble gratuite, arbitraire : il n'y a pas, en effet, de commune mesure entre le ressentiment que Mme de Merteuil éprouve pour Gercourt ou Prévan et la vengeance implacable qu'elle tire d'eux. Ce n'est pas non plus la haine qui anime le vicomte de Valmont : il manifeste trop de détachement et trop d'insouciance à l'égard de ses victimes. On est donc en présence d'une perversité fondamentale qui s'exerce pour le plaisir de s'exercer et qui n'a d'autre fin que le parfait épanouissement de toutes ses velléités pernicieuses. Le caractère méthodique de cette méchanceté suscite chez le lecteur une fascination ambiguë, mêlée d'effroi et d'admiration : on s'émerveille de l'ingéniosité suprême de la marquise et on frémit au récit de ses forfaits. *Les Liaisons dangereuses* sont le roman de l'intelligence pure mariée au mal. Jamais, avant Laclos, pareille vision du monde n'avait été offerte au public et le XVIIIe siècle lui-même, dont l'amoralisme se borne à l'hédonisme et au plaisir, ne pouvait qu'être scandalisé par le spectacle du mal exalté jusqu'au paroxysme par la toute-puissance de l'esprit.

> De tous les romanciers qui ont fait agir des personnages lucides et prémédités, Laclos est celui qui place le plus haut l'idée qu'il se fait de l'intelligence. Idée telle qu'elle le mènera à cette création sans précédent : faire agir des personnages de fiction en fonction de ce qu'ils pensent. La marquise et Valmont sont les deux premiers dont les actes soient déterminés par une idéologie[2].

---

1. *Ibid.*, p. 93.
2. A. Malraux, Préface aux *Liaisons dangereuses*, Paris, Gallimard. coll. « Folio », p. 9-10.

Ces mots d'André Malraux montrent bien que les protagonistes imaginés par le romancier cherchent avant tout à transformer leurs intentions en actes, à éviter l'indétermination que renferme l'avenir, à éliminer le hasard, à vouloir calculer, prévoir et fixer le futur. Les termes *projet, plan, dessein* reviennent fréquemment sous la plume de Valmont ou de Mme de Merteuil qui tirent, l'un comme l'autre et chaque fois qu'il est possible, un plaisir délicieux à vérifier dans l'action l'exactitude rigoureuse de leurs prévisions. Ils s'enchantent ainsi de leur puissance et font le plein exercice de leur liberté puisqu'ils ont conscience de dominer le temps en faisant coïncider la conduite qu'ils ont conçue avec celle qu'ils ont effectivement vécue.

UNE ŒUVRE MORALE ?

Laclos, en tête de son ouvrage, dans la *Préface du rédacteur*, affirme hautement la pureté de ses intentions et veut persuader son lecteur de la portée morale de son roman :

> Il me semble […], que c'est rendre un service aux mœurs que de dévoiler les moyens qu'emploient ceux qui en ont de mauvaises pour corrompre ceux qui en ont de bonnes.

Les derniers moments de l'intrigue répondent d'ailleurs à cette exigence édifiante et la catastrophe finale, où les méchants sont châtiés, montre bien que le crime ne paie pas.

Puisqu'il prétend attirer l'attention du public sur le « danger des liaisons[1] », Laclos doit donc punir les roués et remettre Cécile et Danceny sur le chemin de la vertu. Or, ce dénouement n'a jamais satisfait personne et la gratuité des malheurs qui s'abattent sur les coupables dévalorise même la morale que Laclos désire faire triompher. En effet, la petite vérole qui défigure Mme de Merteuil et la perte de son procès n'ont aucun rapport avec ses fautes ; quant à la mort de Valmont, elle est ressentie comme un événement artificiel qui arrange trop bien les choses. Cet épilogue paraît si arbitraire que le

---

1. Laclos avait primitivement eu l'intention de donner ce titre à son roman.

lecteur a le sentiment d'avoir été joué : il pense que le romancier s'est moqué de lui et que le but moral du livre n'est qu'une ruse. Ainsi, malgré le sort peu enviable qui leur est réservé, les protagonistes de cette action conservent tout leur prestige et exercent sur nous le même pouvoir de fascination.

Toutefois, ce dénouement en masque un autre. Au-delà des exigences de la morale conventionnelle se dévoile la véritable nécessité : l'esprit du mal marié à l'intelligence trouve sa défaite non dans l'intervention de la société ou dans des circonstances extérieures, mais en soi, par sa nature même. « Il est logique, écrit René Lalou, que la volonté de puissance finisse par opposer la Merteuil et Valmont... Plus encore que l'instinct moralisateur, ce châtiment satisfait l'esprit[1]. » J.-L. -Seylaz ajoute :

> Ainsi, par-delà les conclusions apparentes et plus ou moins ironiques, apparaît la vraie leçon que nous propose l'œuvre : ce qui limite la suprématie de l'intelligence, ce n'est pas seulement une valeur comme l'amour, c'est encore une fatalité à laquelle nul esprit humain n'échappe. Car aussitôt que l'intelligence cesse d'être contemplative, désintéressée, qu'elle prétend agir sur les êtres, elle est contrainte de mettre en œuvre des forces qu'elle sera finalement impuissante à maîtriser mais sans lesquelles elle n'aurait pas de prise réelle sur autrui. De plus, dans un monde qui refuse la charité et dans lequel l'intelligence ne veut s'exercer que pour elle-même, pour sa propre satisfaction, il n'y a pas de place pour deux exigences totalitaires et l'intelligence dominatrice ne peut finalement que se heurter à elle-même (et tel est sans doute le motif profond qui a poussé Laclos à inventer le couple Valmont-Merteuil)[2].

1. René Lalou, *Défense de l'homme (intelligence et sensualité)*, Paris, Kra, 1926, p. 168-169.
2. J.-L. Seylaz, *op. cit.*, p. 151.

TROISIÈME PARTIE

Lectures analytiques

CÉCILE VOLANGES À SOPHIE CARNAY
AUX URSULINES DE…

Tu vois, ma bonne amie, que je tiens parole, et que les
bonnets et les pompons ne prennent pas tout mon temps ;
il m'en restera toujours pour toi. J'ai pourtant vu plus de
parures dans cette seule journée que dans les quatre ans que

5   nous avons passés ensemble ; et je crois que la superbe Tanville[1] aura plus de chagrin à ma première visite, où je compte bien la demander, qu'elle n'a cru nous en faire toutes les
fois qu'elle est venue nous voir *in fiocchi*[2]. Maman m'a
consultée sur tout ; elle me traite beaucoup moins en pen-

10   sionnaire que par le passé. J'ai une femme de chambre à
moi ; j'ai une chambre et un cabinet dont je dispose, et je
t'écris à un secrétaire très joli, dont on m'a remis la clef, et
où je peux renfermer tout ce que je veux. Maman m'a dit
que je la verrais tous les jours à son lever ; qu'il suffisait que

15   je fusse coiffée pour dîner, parce que nous serions toujours
seules, et qu'alors elle me dirait chaque jour l'heure où je
devrais l'aller joindre l'après-midi. Le reste du temps est à
ma disposition, et j'ai ma harpe, mon dessin et des livres
comme au couvent ; si ce n'est que la Mère Perpétue n'est

20   pas là pour me gronder, et qu'il ne tiendrait qu'à moi d'être
toujours à rien faire : mais comme je n'ai pas ma Sophie
pour causer et pour rire, j'aime autant m'occuper.

Il n'est pas encore cinq heures ; je ne dois aller retrouver
Maman qu'à sept : voilà bien du temps, si j'avais quelque

25   chose à te dire ! Mais on ne m'a encore parlé de rien ; et sans

---

1. *Tanville* : pensionnaire du même couvent.
2. *In fiocchi* : expression italienne qui signifie « en grande toilette ».

les apprêts que je vois faire, et quantité d'ouvrières qui viennent toutes pour moi, je croirais qu'on ne songe pas à me marier, et que c'est un radotage de plus de la bonne Joséphine[1]. Cependant Maman m'a dit si souvent qu'une demoiselle devait rester au couvent jusqu'à ce qu'elle se mariât, que puisqu'elle m'en fait sortir, il faut bien que Joséphine ait raison. […]

Comme tu vas te moquer de la pauvre Cécile ! Oh ! j'ai été bien honteuse ! Mais tu y aurais été attrapée comme moi. En entrant chez Maman, j'ai vu un Monsieur en noir, debout auprès d'elle. Je l'ai salué du mieux que j'ai pu, et suis restée sans pouvoir bouger de ma place. Tu juges combien je l'examinais ! « Madame », a-t-il dit à ma mère, en me saluant, « voilà une charmante Demoiselle, et je sens mieux que jamais le prix de vos bontés ». À ce propos si positif, il m'a pris un tremblement tel, que je ne pouvais me soutenir ; j'ai trouvé un fauteuil, et je m'y suis assise, bien rouge et bien déconcertée. J'y étais à peine, que voilà cet homme à mes genoux. Ta pauvre Cécile alors a perdu la tête ; j'étais, comme a dit Maman, tout effarouchée. Je me suis levée en jetant un cri perçant… tiens, comme ce jour du tonnerre. Maman est partie d'un éclat de rire, en me disant : « Eh bien ! qu'avez-vous ? Asseyez-vous et donnez votre pied à Monsieur. » En effet, ma chère amie, le Monsieur était un cordonnier. Je ne peux te rendre combien j'ai été honteuse : par bonheur il n'y avait que Maman. Je crois que, quand je serai mariée, je ne me servirai plus de ce cordonnier-là.

Conviens que nous voilà bien savantes ! […]

Paris, ce 3 août 17**

---

1. *Joséphine* : religieuse (ou tourière), chargée de faire passer au tour des choses apportées au couvent.

INTRODUCTION

▌Situer le passage

Cette lettre, la première du roman, fournit au lecteur quelques informations qui prendront, au cours de l'intrigue, toute leur portée dès lors que les correspondants suivants, la marquise de Merteuil et le vicomte de Valmont, auront échangé leurs intentions et dévoilé leurs projets. Pour l'instant, nous apprenons que la jeune Cécile Volanges vient de sortir du couvent et qu'elle doit prochainement épouser un homme qu'elle n'a jamais vu et que lui destine sa famille.

▌Dégager des axes de lecture

Ces premières confidences de Cécile à son amie Sophie offrent au lecteur l'occasion de prendre immédiatement conscience de la psychologie naïve et superficielle de la jeune fille. Mais cette lettre constitue aussi une étude de mœurs qui permet à Laclos de mettre en cause l'éducation que recevaient en son temps les filles de bonne famille.

PREMIER AXE DE LECTURE
UNE JEUNE FILLE NAÏVE ET SUPERFICIELLE

Ce texte est un bon exemple du talent de Laclos qui réussit à imiter avec une remarquable vraisemblance le style et le ton d'une collégienne qui, à la sortie du pensionnat, fait son entrée dans le monde. Inexpérience, vanité puérile, *ego* hypertrophié d'enfant et babillage sont ici admirablement rendus. Ce radotage de Cécile paraît d'ailleurs d'autant plus insipide qu'il est, conformément au roman polyphonique épistolaire, immédiatement suivi par une lettre de Mme de Merteuil, brillant exemple d'un style mondain très élaboré et subtilement persifleur.

▌L'inexpérience du monde

L'anecdote amusante – petite comédie et tableau de genre – qui clôt cette lettre de Cécile révèle avec humour son inexpérience et son ignorance des usages les plus élémentaires en vigueur dans le monde. Prendre le cordonnier pour son futur mari dénote une méconnaissance totale des codes d'une société où la fonction sociale du vêtement jouait un rôle essentiel et où gens du peuple, bourgeois et nobles se distinguaient aisément selon les apparences vestimentaires, sans parler des manières d'être, du langage et des attitudes différentes que les uns adoptaient vis-à-vis des autres. Certes, Cécile est troublée puisqu'elle attend qu'on lui présente d'un moment à l'autre son futur époux et son jugement a pu être faussé par l'émotion, mais, avec davantage d'éducation, de maturité et de savoir-vivre, elle aurait pu, en dépit d'une fébrilité compréhensible en pareille circonstance, d'un seul coup d'œil – ne fût-ce qu'à son accoutrement – ne pas prendre ce «monsieur en noir» (l. 35) pour le mari qu'on lui destinait.

▌Une vanité puérile

Si elle ne craint pas – au risque qu'elle se moque d'elle – de confier à son amie Sophie sa méprise et sa bévue, Cécile, heureuse d'être enfin sortie du pensionnat, dresse pour son ex-condisciple – non sans vanité – la liste de tous les avantages dont elle jouit désormais, à l'instar d'une grande personne. Enfin débarrassée du sévère uniforme imposé au couvent, elle compte bien, vêtue d'une robe somptueuse, faire pâlir de jalousie «la superbe Tanville» (l. 5), une camarade qui naguère encore l'éblouissait par la splendeur de ses toilettes. Ce trait de vaniteuse coquetterie et de puéril esprit de revanche traduit l'étroite mesquinerie de Cécile et situe d'emblée le niveau de ses préoccupations... Flattée d'être prise au sérieux par sa mère, elle ne manque pas de signaler à sa correspondante, dans l'espoir de piquer sa jalousie, que Mme de Volanges la consulte sur tout et la «traite beaucoup moins en pensionnaire que par le passé» (l. 9-10). Elle est aussi très fière d'avoir une domestique à son service, une chambre particulière et un secrétaire dont, comme une femme adulte, elle détient la clé et où elle peut enfermer «tout ce qu'[elle] veu[t]» (l. 13).

Égocentrisme enfantin et babillage

Mais cette lettre révèle surtout l'égocentrisme enfantin de son auteur. Cécile ne parle que d'elle et n'entretient son amie que de sa nouvelle existence sans se préoccuper un instant de ce que celle-ci, qui est restée au couvent, peut ressentir ou éprouver, ne fût-ce que la contrariété de ne plus avoir sa condisciple préférée à ses côtés. Tout le texte est écrit à la première personne et on y dénombre trente-deux fois l'emploi du pronom personnel *je*... Ce babillage de collégienne au moi hypertrophié ne dépasse d'ailleurs jamais le bavardage le plus plat. Aussi, quand il arrive à Cécile – une fois seulement ! – d'esquisser un raisonnement, il s'agit d'un syllogisme hasardeux, d'un truisme à la façon de La Palice, qui prête pour le moins à sourire : «Cependant Maman m'a dit si souvent qu'une demoiselle devait rester au couvent jusqu'à ce qu'elle se mariât, que puisqu'elle m'en fait sortir, il faut bien [...]» qu'on songe à me marier (l. 29-32).

C'est toutefois le style de Cécile qui rend ici le mieux compte de sa personnalité immature et de ses préoccupations enfantines. Cette lettre est essentiellement composée de phrases courtes, de propositions indépendantes généralement juxtaposées les unes aux autres, sans lien logique entre elles. La petite Volanges n'introduit aucune cohérence dans son discours : elle se contente de remarques faites au fil de la plume sans que sa pensée, primesautière et instable, fasse le moindre effort de méthode discursive. Hormis un *cependant* et un *en effet* (l. 29 et 49), la lettre ne comporte aucun terme chargé d'instaurer un raisonnement dans le propos ou de présenter une vision organisée des choses. Dépourvue de rigueur, animée par une pensée erratique, formée de notations impressionnistes, la langue de Cécile reflète fidèlement la fragilité d'un esprit peu organisé, victime des carences d'une éducation intellectuelle très négligée.

Mais la syntaxe pour le moins élémentaire de Cécile n'est pas seule à trahir la puérilité du personnage. Toutes sortes d'expressions et de manières de dire attestent que cette lettre est rédigée par une enfant dont le vocabulaire est encore pauvre et limité. Ainsi, les répétitions systématiques du verbe *avoir* pour désigner la possession[1], la multiplication de l'adverbe *bien*[2], certaines interjections («Oh ! Tiens !) et les références aux propos maternels («Maman m'a dit si souvent... », l. 29), tout indique que Cécile écrit comme elle parle et que sa plume suit fidèlement les divers mouvements de son âme enfantine. Mme de Merteuil caractérisera fort pertinemment le ton des lettres de Cécile quand elle lui écrira : «Voyez donc à soigner votre style. Vous écrivez toujours comme un enfant [...]» (*L*. 105).

DEUXIÈME AXE DE LECTURE
UNE CRITIQUE DE *L'ÉCOLE DES FEMMES*

Cette première lettre, où Cécile se livre ingénument, offre à Laclos, partisan des Lumières, l'occasion de mettre en évidence les carences, gravissimes à ses yeux, dont souffrait en son temps l'éducation des filles de bonne famille qu'on maintenait systématiquement dans l'ignorance et, pour tout dire, dans l'obscurantisme. L'auteur des *Liaisons dangereuses* est d'ailleurs tellement préoccupé par cette question qu'il y consacre trois essais qu'il ne publiera pas, mais dont le dernier, sans titre, composé entre 1795 et 1802, propose un programme d'études précis, qui aurait évité à Cécile bien des déboires si elle avait pu en bénéficier.

Une ignorance savamment entretenue

Il existe dans la littérature des Lumières – par exemple dans *La Vie de Marianne*[3] de Marivaux – de fréquentes critiques de l'éducation dispensée dans les couvents, où ne sont développées que la coquetterie, la médisance et la curiosité. Laclos reprend ici ce thème. Cécile n'a pas reçu au pensionnat les valeurs intellectuelles et morales susceptibles

---

1. «J'ai une femme de chambre à moi» ; «j'ai une chambre et un cabinet» ; «j'ai ma harpe» ; «je n'ai pas ma Sophie» (l. 10-11, 18, 21).
2. «Voilà bien du temps» ; «il faut bien que Joséphine ait raison» ; «J'ai été bien honteuse» ; «nous voilà bien savantes» ; «bien rouge et bien déconcertée ». On notera aussi, dans le même esprit, la pauvreté stylistique du «secrétaire très joli» et le verbe enfantin «gronder».
3. *La Vie de Marianne* : roman publié en onze parties entre 1731 et 1741.

de la guider dans l'existence. Elle passe d'ailleurs de cet univers clos et mesquin à la vie mondaine où sa frivolité s'accentue et où elle est abandonnée à elle-même, livrée à l'inaction et à l'ennui, ce qui la conditionne à suivre instinctivement des penchants sensuels que la marquise ne tardera pas à déceler (voir *L*. 54).

Tel était en effet le sort des filles de la bonne société ; mises en nourrice dès leur naissance, confiées aux institutions religieuses leur enfance durant et mariées sans leur consentement à partir de quinze ans, elles abordaient l'existence, certes après avoir appris à lire, écrire et compter, mais sans avoir, à travers une culture solide, été préparées aux réalités du monde. On imagine que ce ne sont pas Mère Perpétue ou la bonne Joséphine qui ont pu, par leur conversation, élargir le champ intellectuel et la vision morale de la petite Volanges !

Une jeune fille seule et livrée à elle-même

La vie familiale, elle aussi, laisse singulièrement à désirer. On se rend compte, en parcourant cette première lettre, que Cécile, une fois revenue chez elle, est plongée dans une grande solitude. Elle ne rencontre sa mère qu'à des heures convenues : le matin au lever, au moment du déjeuner et dans l'après-midi. Quant au père, suivant l'usage de l'époque et de ce milieu, il est le grand absent... Autant dire que « le reste du temps, comme l'écrit Cécile, est à [sa] disposition [...] et qu'il ne tiendrait qu'à [elle] d'être toujours à ne rien faire » (l. 17-21). Elle passe donc le plus clair de ses jours à écrire à Sophie, à jouer de la harpe, à dessiner ou à lire. Aucun entretien formateur et fécond, affectivement riche et rassurant, n'a lieu entre sa mère et elle ; on lui cache même le nom de celui qu'elle doit épouser et qu'elle appelle puérilement « le Monsieur » (l. 49)...

Ainsi, Cécile est livrée à elle-même. Elle rencontre plus souvent sa femme de chambre que sa mère, elle n'a avec ses parents aucun échange véritable et elle est tenue à distance des siens comme si spontanéité et chaleur humaine étaient prohibées et ressenties comme malséantes dans ce microcosme social où il est interdit – fût-ce dans la relation filiale – de livrer son cœur et de vivre familièrement avec les êtres les plus proches. On sent que cette société est avant tout un théâtre, où l'on apprend à Cécile à tenir un rôle et à paraître sur la scène du grand monde : pompons, bonnets, parures, toilettes, coiffures, tous ces artifices de l'apparence fascinent la petite Volanges et personne n'est à ses côtés pour l'aider à découvrir, au-delà de ce décor, la réalité des êtres et l'essence des choses.

▌Laclos et l'éducation des femmes

Le troisième essai de Laclos consacré à l'éducation des femmes est une sorte d'institution des enfants, rédigée, comme celle de Montaigne, pour un «enfant de bonne maison», c'est-à-dire de famille noble. Ce projet éducatif, dans la veine des conceptions rousseauistes, se présente de la manière la plus concrète, à l'image d'un programme précis et particulièrement riche qui s'oppose radicalement, par ses intentions et ses propositions, à l'enseignement dispensé à la petite Volanges.

Laclos préconise l'initiation scientifique, l'ouverture sur le monde contemporain et l'étude des langues anciennes et vivantes. Certes, l'histoire moderne s'efface devant l'histoire antique – école de la vertu – et les philosophes contemporains cèdent la place aux penseurs classiques, mais on retrouve dans cet essai la comparaison entre les mérites respectifs des historiens, des moralistes et des romanciers qu'aborde la lettre 81 de Mme de Merteuil. Laclos considère le roman comme un traité de morale en action, porteur d'avertissements précieux pour une jeunesse exposée au danger des liaisons, sans oublier que la fréquentation des meilleurs livres permet, selon lui, d'enrichir le cœur, d'aiguiser l'esprit et d'acquérir soi-même, par l'exemple, un style aussi pur qu'expressif. C'est en suivant un tel programme que l'on peut se forger une culture vaste et approfondie, surtout si l'on s'exerce, comme il le conseille et l'a mis lui-même en pratique, à l'art du compte rendu, discipline la plus efficace, selon lui, pour assimiler intelligemment les connaissances. Nul doute que si elle avait eu la chance de suivre pareille formation, Cécile, capable, grâce à l'étude, de se comprendre et d'analyser son entourage, aurait évité les tristes et lamentables déboires qui ont finalement brisé son existence.

CONCLUSION

Si la correspondance de deux amies de pension est un procédé qui n'est pas propre à Laclos et qui a souvent été utilisé par les romanciers du XVIIIe siècle, préoccupés, comme la plupart des intellectuels des Lumières, par les questions pédagogiques, l'auteur des *Liaisons dangereuses*, grâce à son exceptionnelle maîtrise stylistique – imiter parfaitement le langage d'une jeune fille peu instruite – réussit à montrer ici la naïveté déconcertante des adolescentes qui abordaient le monde sans avoir reçu une véritable éducation et une solide instruction capables de les guider avec sûreté dans la société et de leur éviter le danger des liaisons.

La marquise de Merteuil
au vicomte de Valmont

[…] Entrée dans le monde dans le temps où, fille encore, j'étais vouée par état au silence et à l'inaction, j'ai su en profiter pour observer et réfléchir. Tandis qu'on me croyait étourdie ou distraite, écoutant peu à la vérité les discours

5 qu'on s'empressait à me tenir, je recueillais avec soin ceux qu'on cherchait à me cacher.

Cette utile curiosité, en servant à m'instruire, m'apprit encore à dissimuler ; forcée souvent de cacher les objets de mon attention aux yeux de ceux qui m'entouraient, j'essayai

10 de guider les miens à mon gré ; j'obtins dès lors de prendre à volonté ce regard distrait que vous louez si souvent. Encouragée par ce premier succès, je tâchai de régler de même les divers mouvements de ma figure. Ressentais-je quelque chagrin, je m'étudiais à prendre l'air de la sérénité,

15 même celui de la joie ; j'ai porté le zèle jusqu'à me causer des douleurs volontaires, pour chercher pendant ce temps l'expression du plaisir. Je me suis travaillée avec le même soin et plus de peine, pour réprimer les symptômes d'une joie inattendue. C'est ainsi que j'ai su prendre, sur ma phy-

20 sionomie, cette puissance dont je vous ai vu quelquefois si étonné.

J'étais bien jeune encore, et presque sans intérêt : mais je n'avais à moi que ma pensée, et je m'indignais qu'on pût me la ravir ou me la surprendre contre ma volonté. Munie de

25 ces premières armes, j'en essayai l'usage : non contente de ne plus me laisser pénétrer, je m'amusais à me montrer sous des formes différentes ; sûre de mes gestes, j'observais mes discours ; je réglais les uns et les autres, suivant les circons-

tances, ou même seulement suivant mes fantaisies : dès ce
30   moment, ma façon de penser fut pour moi seule, et je ne
montrai plus que celle qu'il m'était utile de laisser voir.[...]

De... ce 20 septembre 17**

INTRODUCTION

Situer le passage

Ce texte est extrait de la lettre 81 qui est au centre du roman et
demeure à juste titre le passage le plus célèbre des *Liaisons dangereuses*. Si cette lettre ne joue apparemment aucun rôle dans le
déroulement de l'intrigue, elle offre en revanche un remarquable
autoportrait de la marquise, une froide et lucide autobiographie libertine qui éclaire son comportement et ses agissements en expliquant
son présent par son passé.

Dégager des axes de lecture

Dans les lignes qui précèdent ce passage, la marquise affirme être
«née pour venger son sexe [...]». Cette vocation prédestinée qu'elle
s'attribue et qui donne sens à sa vie explique son libertinage. Celui-ci,
expression d'une révolte native, fournit à Mme de Merteuil l'arme dont
elle a besoin dans son combat contre le statut subalterne que la société de son temps réserve à la femme. Très jeune encore, elle refuse la
soumission qu'on impose à ses semblables, laissées dans l'ignorance
et avant tout perçues comme objets de désir et de plaisir, proies
faciles des roués. Si Cécile incarne la condition habituelle des femmes
de la bonne société, la marquise, elle, dotée d'une intelligence aussi
précoce que pénétrante, symbolise la révolte, féministe avant la lettre,
contre un état de fait qu'elle juge profondément injuste.

L'extrait étudié permet de mettre en évidence la méthode rigoureuse que la marquise, avant même d'atteindre sa quinzième année,
a réussi à élaborer pour parvenir patiemment à ses fins, en se pré-
parant, par l'observation du monde et la réflexion, à dissimuler et à
feindre, capacités indispensables au projet libertin. On montrera

ensuite comment de tels « exercices spirituels » ont permis à Mme de Merteuil d'acquérir une maîtrise accomplie de soi et de se forger une personnalité nouvelle, parfaite antithèse de ce qu'elle serait devenue en suivant passivement le conditionnement de l'éducation traditionnelle. Enfin, on se posera la question de savoir quelles sont les éventuelles limites d'une telle démarche et d'une telle révolte.

PREMIER AXE DE LECTURE
UNE ENTREPRISE PATIENTE ET MÉTHODIQUE

Outre des facultés d'observation et de réflexion, apprendre à dissimuler requiert une authentique ascèse pour parvenir, tel un comédien accompli, à exprimer des sentiments qu'on n'éprouve pas, mais qui s'avèrent indispensables pour se jouer des autres et triompher sur le « grand théâtre » du monde. Comme Laurent Versini le remarque à juste titre, la marquise établit la réciproque du *Paradoxe sur le comédien* (1778), où Diderot proposait au grand acteur le modèle du séducteur[1].

Observation et réflexion

Alors qu'une Cécile Volanges, sortie du pensionnat, passe son temps à babiller et à se complaire en de futiles occupations, la jeune future marquise de Merteuil profite pleinement de son nouvel état « pour observer et réfléchir » (l. 3). Elle fait précocement preuve d'une capacité intellectuelle fondamentale qui lui permet d'analyser les propos comme les faits et gestes de ceux qui l'entourent pour en dégager la signification. Elle sait, en particulier – témoignage d'une vive intelligence – ne pas prendre, comme beaucoup d'enfants, les apparences pour la réalité. Elle est capable, sous les masques, de déceler les vrais visages et de repérer, au-delà des propos qu'elle entend, ceux qu'on lui déguise : « Tandis qu'on me croyait étourdie ou discrète, écoutant peu à la vérité les discours qu'on s'empressait de me tenir, je recueillais avec soin, écrit-elle, ceux qu'on cherchait à me cacher » (l. 3-6).

1. Voir Laurent Versini, Laclos, *Œuvres complètes, op. cit.*, p. 1285, note 2.

Cet apprentissage de la clairvoyance, entrepris avant sa quinzième année, marque une étape décisive dans l'évolution psychologique de ce personnage qui réussit, très jeune encore, à se libérer des pièges de la bienséance et des usages, pour découvrir, cachés par les conventions artificielles et les codes factices de son milieu social, les mouvements authentiques et les réactions naturelles de l'âme humaine. Cette connaissance pénétrante de la psychologie – qui constituera l'outil efficace de sa propre libération et de la domination qu'elle exercera sur les autres – est d'ailleurs fondée sur une conception quasi scientifique et sur une méthode toute cartésienne que ne renieraient pas les philosophes sensualistes de l'époque ; *observer*, *réfléchir*, *curiosité*, *instruire*, *science* : autant de termes qui situent parfaitement la démarche intellectuelle de la marquise dans une perspective rationnelle fondant une méthode destinée à procurer une discipline, en l'occurrence une technique infaillible pour conquérir une absolue maîtrise de soi.

L'art de dissimuler

L'analyse psychologique constitue donc l'arme essentielle de Mme de Merteuil. Femme de tête, elle se destine, dès l'enfance, à rivaliser avec les roués et même à les vaincre un jour sur leur propre terrain. Mais connaître les arcanes du cœur humain et avoir percé à jour la comédie sociale ne constituent qu'une première étape. Il faut, pour exceller dans l'aventure libertine, apprendre à dissimuler à la perfection ; c'est à ce prix qu'une femme peut conquérir l'égalité avec les hommes et surtout tenter de les surpasser en améliorant leurs propres méthodes.

Dans ce passage de la lettre 81, la marquise dévoile à Valmont les procédés auxquels elle a recouru pour apprendre peu à peu à masquer sa pensée et ses sentiments. Elle tente tout d'abord de «cacher les objets de [s]on attention aux yeux de ceux qui l'entour[ent]» (l. 8-9) et, afin d'y parvenir, s'exerce à maîtriser son regard, à lui conférer volontairement un air «distrait» (l. 4) – autant dire absent, vague et inexpressif –, moyen infaillible de ne pas trahir ses émotions et de ne pas laisser transparaître, à travers ce miroir de l'âme, ses affects ou ses préoccupations. Mais commander au regard ne suffit pas. Encore faut-il, si on cherche à abuser autrui, réussir à contrôler son visage et à «régler les divers mouvements de [sa] figure» (l. 13) : Mme de Merteuil s'emploiera donc à feindre la sérénité et la joie dans le chagrin. Elle poussera même – non sans masochisme – ses expériences d'autocontrôle jusqu'à se donner «l'expression du plaisir», alors qu'elle s'inflige des douleurs (l. 13-17). Elle parvient enfin – non sans mal avoue-t-elle – à inhiber des réactions quasi réflexes, par exemple en «réprim[ant] les symptômes d'une joie inattendue» (l. 19). Elle acquiert ainsi sur sa physionomie une «puissance» (l. 20) absolue qui deviendra, le moment venu, une arme invincible dans les joutes du libertinage.

Soucieuse de respecter un processus rationnel, en femme très éclairée des Lumières, la marquise, une fois parvenue à ce degré de perfection théorique, s'empresse d'expérimenter ses nouvelles connaissances et de mettre ses nouveaux talents à l'épreuve des faits. Conformément à la démarche scientifique, elle passe très logiquement de la théorie à l'expérimentation, seule capable de valider les hypothèses de travail qu'elle a préalablement essayées sur elle-même : «Munie de ces premières armes, j'en essayai l'usage» (l. 24-25). Elle entreprend d'abord, comme par jeu, de se «montrer sous des formes différentes» ; «sûre de [ses] gestes», elle «observe [ses] discours» (l. 27-28) et adapte les uns et les autres en fonction des circonstances ou selon son caprice. Telle une actrice parvenue au sommet de son art, elle « règle » (l. 28) à volonté son comportement avec une précision toute mécanique qui atteste combien elle règne sans partage sur elle-même, dominant souverainement l'empire de ses sens et de son corps comme celui de son esprit et de son cœur. Ainsi, elle peut se vanter devant Valmont d'avoir conquis, à l'aube de ses quinze ans, «les talents auxquels la plus grande partie [des] Politiques doivent leur réputation». Cette femme, de la race d'un Talleyrand ou d'un Fouché, ivre d'orgueil, confesse pourtant à son rival – dans un irrésistible élan de mégalomanie – ne s'être trouvée alors «qu'aux premiers éléments de la science qu'[elle voulait] acquérir»…

DEUXIÈME AXE DE LECTURE
HYPERTROPHIE DU MOI
ET RÉVOLTE LIBERTINE

Ces confidences de la marquise, comme le ton qui les anime, révèlent un *ego* démesuré qui envahit tout son espace mental, au point que le monde qui l'environne et les êtres qui l'entourent ne parviennent à l'existence qu'en fonction du regard qu'elle daigne leur accorder. En fait, Mme de Merteuil, pour user d'une expression psychiatrique, est en proie à une véritable «inflation psychique» ; elle est victime du personnage qu'elle s'est inventé. Elle est dévorée par le rôle qu'elle s'est fixé et auquel elle sera contrainte de rester fidèle jusqu'à la catastrophe finale. C'est à ce prix qu'elle conservera l'illusion de s'être créée elle-même, au risque que sa révolte féministe ne soit ni aussi pure ni aussi désintéressée qu'elle se plaît à l'imaginer.

▌L'exaltation du moi

Le style du passage que nous étudions est apparemment celui du froid récit autobiographique et de l'analyse objective, mais le lecteur sent très bien que la marquise se met en scène, se donne une attitude affectée et, pour tout dire, prend avantageusement la pose pour briller devant un rival qu'elle cherche à éblouir et à dominer en affichant son écrasante supériorité. Cette lettre est parcourue par un frémissement particulier dû à l'exaltation du moi de l'héroïne et à la fierté qu'elle éprouve à l'idée d'une liberté aussi chèrement conquise. On relève dans la lettre 81 environ trois cents occurrences de pronoms et adjectifs de la première personne, et pas moins de quarante-cinq pour le seul passage que nous commentons. Certes, cette forme grammaticale peut paraître naturelle dans le contexte d'un document autobiographique, mais son incessante réitération et sa place privilégiée en tête de phrase attestent que cette lettre, si elle relève bien de la connaissance de soi, comme dans les premières lignes des *Confessions* ou des *Rêveries*, s'accompagne aussi d'une introspection complaisante, d'une expansion narcissique du moi et d'une sorte d'extase jubilatoire qui peuvent s'interpréter comme la parodie des états d'âme de Rousseau. Aux épanchements lyriques du chantre de la vertu, Laclos opposerait ici la confession démoniaque d'une enfant perdue du siècle.

Mais une exaltation hyperbolique du moi ne se développe pas sans un effort considérable de réflexion et d'analyse de soi. Mme de Merteuil exerce un incessant contrôle sur elle-même, attitude mentale qui se traduit stylistiquement par l'emploi fréquent des verbes pronominaux ou réfléchis («je m'étudiais», «je me suis travaillée», «je m'indignais», «je m'amusais», l. 14, 17, 23, 26, etc.). Ainsi est explicitement marqué l'effort que ce personnage exerce perpétuellement sur lui, au point de vivre en état permanent de dédoublement : une partie de lui-même maintient une surveillance aussi constante que sévère sur l'autre. C'est à ce prix que l'esprit pourra régner en maître sur le corps, sur le sentiment, sur l'intelligence et acquérir enfin un pouvoir absolu sur l'être tout entier. On comprend dès lors que la marquise ait pu écrire, une ligne avant le passage étudié : «[...] je suis mon ouvrage». En face de l'éducation traditionnelle qu'elle aurait reçue passivement d'une mère à l'image de Mme de Volanges, l'éducation à contre-courant qu'elle se donne est une seconde naissance dont elle tire une fierté toute prométhéenne, puisqu'elle pense avoir réussi à rivaliser avec la société et peut-être avec le Créateur. Elle n'aspire plus, dès lors, ivre de liberté, qu'à jouir du nouveau pouvoir qu'elle protège jalousement : «[...] je n'avais à moi, écrit-elle, que ma pensée, et je m'indignais qu'on pût me la ravir » (l. 23-24).

Les limites de la révolte

Fondée sur la liberté absolue, la révolte de Mme de Merteuil comporte cependant des limites. Elle n'éprouve en effet aucune solidarité avec les autres femmes. Bien qu'elle déclare avoir voulu venger son sexe, elle méprise ses semblables qu'elle n'hésite pas, telles Cécile et la Présidente, à dépraver ou à humilier. D'autre part, outre la ruse et les feintes diverses, elle est surtout contrainte, pour exercer sa puissance sur les hommes, à user de chantage, cette arme des faibles. Mais il y a plus.

Comme l'atteste la lettre 81 elle-même, Mme de Merteuil, qui éprouve la nécessité de révéler ses années d'apprentissage, n'a pas véritablement atteint l'autonomie totale. En effet, son entourage la croit vertueuse et tous ses proches sont dupes de son double jeu. La marquise est donc jugée pour ce qu'elle n'est pas, pour ce qui ne représente à ses yeux qu'asservissement, conditionnement et inacceptable sujétion ; pour autrui, elle est aussi prude et pure que la vertueuse Mme de Tourvel... On imagine que cette pensée lui est intolérable. L'idée qu'elle se fait de sa révolte et de sa liberté exige-rait qu'elle soit reconnue par les autres, alors qu'elle est en réalité – Valmont excepté – le seul témoin et le seul juge de ses pensées et de ses faits et gestes. En bonne comédienne, elle souffre à coup sûr de ne pas avoir un public prêt à l'applaudir quand elle brille sur la scène du monde et réussit à mener magistralement sombres machi-nations et redoutables intrigues. Frustrée de la reconnaissance à laquelle elle aspire si elle tient secrets ses agissements, Mme de Merteuil serait accablée par le mépris de tous si elle se démasquait publiquement ; autant dire que son libertinage – exercice de libéra-tion – est moins parfait qu'il n'y paraît. La lettre 81 est à cet égard riche d'enseignement ; on y découvre un personnage assoiffé de confidences, altéré de reconnaissance, avide d'éblouir son complice pour mieux le mépriser, mais sacrifiant du même coup son autono-mie et sa superbe solitude en avouant implicitement qu'il a, pour exister pleinement, un besoin vital du regard d'autrui.

CONCLUSION

Cette confession – fait unique sous la plume de Mme de Merteuil, rompue au mensonge – est dépourvue d'artifice et d'hypocrisie ; la marquise se révèle dans sa vérité et fait part de ses mobiles secrets. Mais cet examen de soi, habituel dans le roman d'analyse, met ici en évidence, sous le jour le plus cru, un moi monstrueusement hyper-trophié, sûr de lui et dominateur, reflet d'un orgueil pathologique qui, se révélant sans voile à son destinataire, marque une nouvelle étape de la crise entre la marquise et Valmont. L'affirmation humiliante et sans nuance de la supériorité de sa complice ne peut que briser le lien qui unissait encore le roué à sa rivale, et relancer la guerre des sexes que l'un et l'autre semblaient avoir momentanément réussi à surmonter à la faveur de leur éphémère alliance.

Extrait de la lettre 124

Les Liaisons dangereuses

LA PRÉSIDENTE DE TOURVEL
À MADAME DE ROSEMONDE

[…] j'ai enfin consenti à recevoir, Jeudi prochain, la pénible visite de M. de Valmont. Là, je l'entendrai me dire lui-même que je ne lui suis plus rien, que l'impression faible et passagère que j'avais faite sur lui est entièrement effacée !
5 Je verrai ses regards se porter sur moi, sans émotion, tandis que la crainte de déceler la mienne me fera baisser les yeux. Ces mêmes Lettres qu'il refusa si longtemps à mes demandes réitérées, je les recevrai de son indifférence ; il me les remettra comme des objets inutiles, et qui ne l'inté-
10 ressent plus ; et mes mains tremblantes, en recevant ce dépôt honteux, sentiront qu'il leur est remis d'une main ferme et tranquille ! Enfin, je le verrai s'éloigner… s'éloigner pour jamais, et mes regards qui le suivront, ne verront pas les siens se retourner sur moi !

15 Et j'étais réservée à tant d'humiliation ! Ah ! que du moins je me la rende utile, en me pénétrant par elle du sentiment de ma faiblesse. Oui, ces Lettres qu'il ne se soucie plus de garder, je les conserverai précieusement. Je m'impose-rai la honte de les relire chaque jour, jusqu'à ce que mes larmes
20 en aient effacé les dernières traces ; et les siennes, je les brûle-rai comme infectées du poison dangereux qui a corrompu mon âme. Oh ! qu'est-ce donc que l'amour, s'il nous fait regretter jusqu'aux dangers auxquels il nous expose ; si surtout, on peut craindre de le ressentir encore, même alors qu'on ne l'inspire
25 plus ! Fuyons cette passion funeste, qui ne laisse de choix qu'entre la honte et le malheur, et souvent même les réunit tous deux ; et qu'au moins la prudence remplace la vertu.

Que ce Jeudi est encore loin ! que ne puis-je consommer à l'instant ce douloureux sacrifice, et en oublier à la fois et
30 la cause et l'objet ! Cette visite m'importune ; je me repens d'avoir promis. Hé ! qu'a-t-il besoin de me revoir encore ? que sommes-nous à présent l'un à l'autre ? S'il m'a offensée, je le lui pardonne. Je le félicite même de vouloir réparer ses torts ; je l'en loue. Je ferai plus, je l'imiterai ; et
35 séduite par les mêmes erreurs, son exemple me ramènera. Mais quand son projet est de me fuir, pourquoi commencer par me chercher ? Le plus pressé pour chacun de nous, n'est-il pas d'oublier l'autre ? Ah ! sans doute, et ce sera dorénavant mon unique soin.
40 Si vous le permettez, mon aimable amie, ce sera auprès de vous que j'irai m'occuper de ce travail difficile. Si j'ai besoin de secours, peut-être même de consolation, je n'en veux recevoir que de vous. Vous seule savez m'entendre et parler à mon cœur. Votre précieuse amitié remplira toute mon
45 existence. Rien ne me paraîtra difficile pour seconder les soins que vous voudrez bien vous donner. Je vous devrai ma tranquillité, mon bonheur, ma vertu ; et le fruit de vos bontés pour moi sera de m'en avoir enfin rendue digne. […]

Paris, ce 25 octobre 17**

INTRODUCTION

▌Situer le passage

Pour fuir les sentiments interdits que lui inspire Valmont, Mme de Tourvel quitte secrètement le château de Mme de Rosemonde et se réfugie dans son hôtel parisien (L.100). Irrité de s'être laissé surprendre, le vicomte fait intercepter les lettres où la Présidente confie sans fard sa détresse à sa vieille amie et il prépare l'ultime manœuvre qui consacrera la chute de celle qu'il a séduite : feignant de se convertir aux pieuses pratiques, de renoncer à ses assiduités amoureuses, et, sous prétexte de remettre à Mme de Tourvel en personne la correspondance qu'elle lui a adressée, Valmont utilise les bons offices du Père Anselme (*L.*120), complice bien involontaire de cette tartufferie. Rassurée par la caution morale de l'homme d'Église et convaincue de la sincérité du vicomte, la Présidente lui accorde un suprême entretien ; elle informe ici (*L.*124) Mme de Rosemonde de cette prochaine entrevue qui consommera, pense-t-elle, sa douloureuse et définitive rupture avec celui pour qui elle nourrit malgré elle une irrépressible et coupable passion.

▌Dégager les axes de lecture

L'émotion intense qu'elle ressent à l'idée de rencontrer Valmont pour la dernière fois n'empêche pas Mme de Tourvel de vivre par anticipation, avec une extrême précision, la scène cruelle qu'elle redoute tant. Il semble même que sa souffrance aiguise sa lucidité et que sa douleur stimule son imagination au point de lui révéler, dans une sorte de vision prémonitoire et lyrique, les moindres gestes et surtout les moindres regards qui s'échangeront entre elle et celui qu'elle aime encore.

Mais si elle est toujours éprise et si elle envisage cette rupture avec effroi, Mme de Tourvel condamne sévèrement sa coupable inclination ; elle stigmatise sans concession les faiblesses de sa vertu prise en défaut et, flétrissant les dangers de l'amour, envisage, non sans masochisme, de s'imposer un éternel repentir. Toutefois, elle endure surtout une situation déchirante qu'elle éprouve comme un insupportable surcroît de malheur : devoir sa rédemption à son séducteur ! En effet, alors que le libertin retrouve apparemment sans crise intérieure le chemin de Dieu et se prépare à mener sans regret une vie édifiante, Mme de Tourvel devra, quant à elle, supporter à jamais le fardeau de sa présomptueuse imprudence et, pour triompher d'un honteux penchant, prendre paradoxalement modèle sur celui qui l'a fait naître.

Mme de Tourvel, en cet instant d'extrême fragilité et de faiblesse, n'a jamais été aussi touchante et son cœur de femme blessée n'a peut-être jamais vibré sur un mode plus vrai et plus humain. Dans le passage qui précède immédiatement l'extrait que nous étudions, elle laisse transparaître une timide révolte : elle comprend mal que Dieu ait prodigué si généreusement son assistance au libertin pour opérer sa conversion alors qu'il est resté sourd aux prières réitérées qu'elle n'a cessé de lui adresser pour qu'il lui accorde la force de « vaincre [son] malheureux amour ». Elle accepte difficilement que le bonheur spirituel de Valmont entraîne son infortune, même si elle se résigne finalement, non sans réticences, à se soumettre aux arrêts impénétrables de la divinité. Elle trouvera donc la force de revoir le vicomte pour une suprême entrevue, mais l'idée de cette rencontre la bouleverse tant qu'elle en prévoit déjà les moindres circonstances ; comme hallucinée, elle anticipe cet instant, lui confère, plusieurs jours à l'avance, l'intensité même du présent et du vécu au point d'imaginer, dans un style lyrique aux accents raciniens, une scène quasi silencieuse animée par le jeu subtil des regards qui s'échangeront alors pour la dernière fois.

Le futur de prémonition

Si, sous la plume de Valmont, l'emploi du futur annonce d'ordinaire la victoire et traduit l'assurance sans faille d'une volonté triomphante avide de plier l'avenir à tous ses désirs, ici, en revanche, chez Mme de Tourvel, dans le premier paragraphe de notre texte, le même temps grammatical s'inscrit dans un douloureux contexte de défaite et rythme les angoisses d'un cœur brisé. Mais tous ces verbes conjugués au futur simple (neuf occurrences) expriment surtout la certitude des impressions que la Présidente ressentira en présence du vicomte. Cette évocation de prochains et pénibles émois est au demeurant si intense, les moindres gestes et les moindres mouvements sont si précisément imaginés que l'avenir prend soudain l'acuité d'un véritable cauchemar et confère à cette anticipation – vision quasi fantasmatique – la force et la présence d'une irréfragable[1] réalité !

La poésie silencieuse des regards

Le charme qui émane de cette scène des adieux ne tient pourtant pas qu'à l'actualisation de la situation prévue par Mme de Tourvel. Cette rencontre, encore imaginaire, se déroule pratiquement sans l'usage de la parole, dans un pesant silence dont seuls les regards, recherchés ou fuis, révèlent l'intensité dramatique. Hormis l'une des premières phrases de l'extrait étudié (« je l'entendrai me dire lui-même que je ne lui suis plus rien »), tout le reste du passage fait l'économie des propos susceptibles d'être échangés et ne restitue que le jeu expressif et subtil des regards des deux protagonistes. Tantôt la Présidente « *verr[a]* » (l. 5) les « *regards* » (l. 5) indifférents et vides de Valmont se porter sur elle ; tantôt, honteuse, elle « *baissera les yeux* » (l. 6) ; tantôt, enfin, elle assistera au départ de celui qu'elle aime, s'éloignant pour jamais sans même daigner « *se retourner* » (l. 14) vers elle.

Toute cette dialectique des regards rend inutile la rhétorique traditionnelle de la séparation amoureuse, si courante dans l'univers romanesque épistolaire du XVIIIᵉ siècle. Le lecteur perçoit nettement les yeux inexpressifs de Valmont qui fixent Mme de Tourvel sans la voir et lui font perdre jusqu'au sentiment d'exister puisqu'elle n'est désormais plus « reconnue[2] ». On imagine sans peine la souffrance de cette femme profondément éprise et réduite, par manque de « considération[3] », à un véritable anéantissement[4]... Cette scène,

---

1. *Irréfragable* : qu'on ne peut contredire.
2. On conçoit aisément quel parti un réalisateur pourrait tirer, à l'écran, de ce passage si riche en indications scéniques. Laclos, fasciné par le théâtre, se représente cette scène à la manière d'un dramaturge ou d'un metteur en scène et, avec bonheur, obéit d'abord ici aux impératifs du jeu, de la gestuelle et des mimiques, ce qui lui permet de faire l'économie du discours psychologique d'ordinaire plus conforme aux exigences du genre romanesque.
3. Au sens premier du terme.
4. L'analyse sartrienne du regard est ici particulièrement éclairante. Autrui peut nous « chosifier », nous annihiler et entraîner, par la nature du regard qu'il nous porte, l'effondrement de tout notre être. Il est donc bien vrai que « l'enfer, c'est les autres » : Mme de Tourvel en fait ici la terrible expérience.

dramatiquement silencieuse, devient encore plus pathétique si on la rapproche de la lettre 76 où Valmont décrit à l'intention de Mme de Merteuil l'échange muet des regards complices qui marquaient naguère les premiers instants de l'amour naissant entre lui et la Présidente : « Alors s'établit entre nous, écrit le libertin, cette convention tacite, premier traité de l'amour timide, qui, pour satisfaire le besoin mutuel de se voir, permet aux regards de se succéder en attendant qu'ils se confondent. »

▋Des accents raciniens

Dans la lettre 107, adressée à Mme de Rosemonde, Mme de Tourvel avait déjà exprimé – l'exaltation en moins – les sentiments qu'elle laisse ici s'épancher librement ; non sans émotion, mais sur un mode mineur, elle écrivait alors : « [...] le tourment inexprimable [...] c'est de se séparer de ce qu'on aime, de s'en séparer pour toujours !»

Dans le passage qui nous occupe, elle change soudain de ton et hausse son expression jusqu'au lyrisme. Cette épître de la séparation éternelle des amants reste fidèle à la tradition de l'héroïde[1] et des romans épistolaires qui exploitent systématiquement ce thème, mais elle comporte surtout de superbes accents qui rivalisent non sans bonheur avec la poésie de Racine (1639-1699) dont Laclos était un fervent admirateur.

Considérons par exemple attentivement les trois dernières lignes du premier paragraphe de notre extrait, les plus significatives à cet égard : « Enfin, écrit la Présidente, je le verrai s'éloigner… s'éloigner pour jamais, et mes regards qui le suivront, ne verront pas les siens se retourner sur moi ! » La liaison et la reprise des termes (« s'éloigner… s'éloigner pour jamais », l. 2), la musique douce et nette, délicate et ferme des assonances en [e][2], le mouvement croissant puis décroissant de la phrase qui s'achève par un alexandrin très réussi de facture toute racinienne, un vers « lent, lourd et définitif comme le

---

1. *Héroïde* : pour l'explication de ce terme, se reporter à la page 73.
2. Transcription phonétique des phonèmes *é, ai, er*.

destin[1] » : tout concourt pour créer dans ce passage une atmosphère tragique qu'amplifie le jeu des regards, ces regards vides et distraits de Valmont qui torturaient déjà Hermione[2], Antiochus[3] ou Phèdre[4].

DEUXIÈME AXE DE LECTURE
FAIBLESSES ET MALHEURS DE LA VERTU

Si la Présidente retrouve parfois le charme du chant racinien lorsqu'elle s'abandonne lyriquement aux confidences de la passion contrariée, elle se rapproche plus encore des héroïnes du grand tragique par sa démarche morale et sa manière de vivre la douloureuse situation qui lui est imposée par le destin. Telle Phèdre, elle déplore sa culpabilité, mais, comme elle, se sent incapable de comprimer les élans de son cœur amoureux. Ainsi, les moyens qu'elle envisage d'utiliser pour juguler son mal, l'humiliation qu'elle veut s'imposer risquent plutôt, sans qu'elle en prenne conscience, d'entretenir en elle la flamme sourde de la passion interdite, d'ailleurs d'autant moins bien conjurée que les termes qui la condamnent, tellement hyperboliques, perdent beaucoup de leur crédibilité.

Mais Mme de Tourvel n'est pas seulement confrontée au remords et à ses embûches ; toute honte bue, elle se prépare à une pénible et paradoxale mortification. Au risque d'être une fois de plus l'innocente victime d'une ruse de l'amour, elle envisage de prendre son ex-séducteur comme modèle spirituel et de lui devoir sa propre rédemption ! Cependant, sachant que sa *vertu*[1] est désormais compromise et qu'elle ne pourra jamais définitivement triompher des

---

1. Joëlle Jean, in *Les Liaisons dangereuses*, Paris, Nathan, 1992, coll. « Balises », p. 77.
2. Racine, *Andromaque*, acte IV, sc. 5, v. 1376-1380 : « Tu comptes les moments que tu perds avec moi./ Ton cœur, impatient de revoir ta Troyenne,/ Ne souffre qu'à regret qu'un autre t'entretienne./ Tu lui parles du cœur, tu la cherches des yeux./ Je ne te retiens plus, sauve-toi de ces lieux. »
3. Racine, *Bérénice*, acte I, sc. 4, v. 277-278 : « Que vous dirais-je enfin ? Je fuis des yeux distraits/ Qui, me voyant toujours, ne me voyaient jamais. »
4. Racine, *Phèdre*, acte II, sc. 5, v. 692 : « Si tes yeux un moment pouvaient me regarder ».

sentiments prohibés qui la torturent, elle ne fonde plus d'espoir que sur la *sagesse*[1] qui lui inspirera la *prudence*[1] où elle puisera l'énergie capable d'assurer la *tranquillité*[1] qu'elle espère vivement recouvrer en se réfugiant chez Mme de Rosemonde, sa compatissante et compréhensive amie.

Les dangers de l'amour

Humiliée, Mme de Tourvel éprouve plus que jamais le « sentiment de [sa] faiblesse » (l. 17) ; elle s'interroge sur l'étrange nature de l'émoi qui, contre sa volonté, perdure en elle jusqu'à « [lui faire] regretter [les] dangers auxquels il [l']expose » (l. 22) et jusqu'à la tourmenter encore et encore alors que Valmont a pourtant cessé de l'aimer. Telle une héroïne de Racine, elle subit sa passion comme une implacable fatalité ; à l'instar d'une Phèdre, elle pourrait s'écrier : « C'est Vénus tout entière à sa proie attachée[2] ». La conscience aiguë de sa faute n'efface pas en effet le mal qui la ronge ; elle vit d'ailleurs ce drame à la manière des héros jansénistes du grand tragique, déchirés entre la misère de leur condition et la lucide perception de leur coupable turpitude. Elle trouvera cependant la force – du moins le pense-t-elle – d'immoler symboliquement son amour par le feu purificateur en brûlant les lettres du vicomte ; mais ce sacrifice expiatoire ne lui suffira pas ; il lui faudra aussi, pour se mortifier durablement, s'imposer « la honte de relire chaque jour » (l. 19) ses propres lettres « jusqu'à ce que [ses] larmes en aient effacé les dernières traces » (l. 20).

On peut toutefois s'interroger sur cet étrange masochisme, sur cette quête de la rédemption par la douleur volontairement renouvelée et douter de l'efficacité d'un tel remède qui tentera de soigner au quotidien le mal par le mal, au risque de faire renaître sans cesse de ses cendres le sentiment interdit plutôt que de l'étouffer une fois pour toutes en éloignant pour toujours les vestiges d'un passé soi-disant détesté. La Présidente n'est-elle pas ici victime d'une ruse ultime de

---

1. Tous ces termes feront l'objet d'une analyse précise dans les lignes qui suivent.
2. Racine, *Phèdre*, acte I, sc. 3, v. 306.

sa passion qui cherche inconsciemment à se perpétuer et refuse obstinément de s'éteindre ?

Même s'il est assez banal, conformément à la phraséologie romanesque du temps, que le vocabulaire dont use la Présidente pour stigmatiser les dangers de l'amour soit fortement hyperbolique, on peut se demander si, chez elle, une telle inflation verbale ne révèle pas en réalité plus de faiblesse que de fermeté d'âme. L'outrance du propos peut trahir une détermination moins arrêtée qu'il n'y paraît, tant il est vrai que la violence excessive d'une condamnation dévoile souvent, en voulant les masquer, les doutes du censeur lui-même... Certes Mme de Tourvel déplore sincèrement la « passion funeste » (l. 25) dont elle est victime et qui « ne [lui] laisse de choix qu'entre la honte et le malheur » (l. 25) , mais ne force-t-elle pas trop la comparaison et ne s'abuse-t-elle pas elle-même quand elle s'écrie que les lettres de Valmont sont « infectées du poison dangereux qui a corrompu [son] âme[1] » (l. 21) ? L'accumulation des termes qui évoquent ici l'empoisonnement est si forcée qu'on a du mal à prendre cette surenchère au pied de la lettre... On songe même, par une naturelle réaction, à l'attrait des pernicieuses délices distillées par un tel venin... Cette fascination inavouée pour le fruit défendu est d'ailleurs telle que la vertu de la dévote, qui livre ici sans le savoir son dernier combat, sortira bientôt définitivement vaincue de la rencontre tant redoutée avec Valmont (L.125).

Une situation paradoxale

Au début du roman, dans une lettre qu'elle destine à Mme de Volanges (L. 8), Mme de Tourvel espère exercer un ascendant assez puissant sur Valmont pour l'aider à retrouver la foi : « ce serait, dit-elle, une belle conversion à faire ». Ce présomptueux et généreux projet, formé par un cœur encore ingénu, va recevoir ici – véritable

---

1. En réalité cette métaphore n'est pas originale ; elle est courante dans les ouvrages d'édification et de théologie du temps ; on la rencontre par exemple chez Rousseau, sous la plume de Julie : « Je sentis le poison qui corrompt mes sens et ma raison » (*La Nouvelle Héloïse*, I, lettre IV). On notera cependant que l'image est volontairement plus appuyée chez Laclos ; deux mots (*infectées et dangereux*) en renforcent l'effet et confortent par là même notre interprétation.

ironie du sort – un terrible démenti. Certes, l'impie en vient à résipiscence[1], mais seul, sans le secours de la dévote. Bien sûr, au début de la lettre que nous étudions, la Présidente se félicite de ce retour inopiné à Dieu et applaudit « à cet heureux changement », mais sa satisfaction manque à l'évidence de conviction : elle reproche au vicomte de faire son salut aux dépens de sa tranquillité, sans éprouver le moindre regret de perdre celle qu'il aime. Mme de Tourvel est très amère ; en femme éprise, elle souffre d'être abandonnée et d'être la victime expiatoire des « décrets de Dieu » : « Le bonheur de M. de Valmont, écrit-elle, ne pouvait-il arriver jamais que par mon infortune ? » (*L.*124). Elle estime être sacrifiée au Ciel par un roué mystérieusement touché par la Grâce alors qu'en dépit de sa piété elle n'a pas été elle-même exaucée. D'ordinaire généreuse et charitable, elle est en proie au démon de l'égoïsme inhérent à toute passion, ce qui accroît d'autant son malheur et sa déréliction[2]. Trop pieuse pour ne pas accepter la conversion du libertin, elle se révolte toutefois par orgueil : elle supporte mal que le sacrifice de l'amour, cette passion tant vantée par le vicomte quand elle la refusait, soit désormais plus aisé au libertin qu'à elle-même.

Mais il y a plus encore. Non seulement Mme de Tourvel – dût-elle en souffrir – loue Valmont pour sa nouvelle conduite et lui pardonne ses torts, mais encore, par un surprenant et paradoxal retournement de situation, elle se prépare à le prendre pour modèle spirituel : « Je l'imiterai » (l. 34), s'écrie-t-elle, et « son exemple me ramènera[3] » (l. 35). Les rôles sont soudain renversés : le pervers d'hier devient le rédempteur d'aujourd'hui, la dévote retrouve le chemin du Ciel par l'intercession de l'ex-libertin. Mais se cache en fait ici une subtile stratégie des sentiments. Mme de Tourvel est toujours très éprise ; envers et contre tout elle persiste à éprouver le charme de Valmont qu'elle croit désormais pouvoir admirer sans danger dès lors qu'elle a résolu de le considérer comme un parangon de vertu. Il n'en demeure

---

1. *Résipiscence* : reconnaissance de sa faute, regret.
2. *Déréliction* : état de l'homme qui se sent abandonné, isolé, privé de tout secours divin.
3. *Ramener* : faire revenir à des sentiments anciens ; ici au *bien* et à la *foi*.

pas moins qu'elle ressent un trouble et secret plaisir à lui devoir son édification ; elle insiste trop sur ce point, au fil de la lettre, pour ne pas s'abandonner à des émotions aussi douces qu'équivoques[1].

Sagesse et vertu

Au-delà des subtilités et complexités du sentiment amoureux, les valeurs morales restent cependant l'essentielle préoccupation de Mme de Tourvel. Pressentant les dangers qui la guetteront lors de sa dernière entrevue avec Valmont, elle s'étonne que le vicomte, qui veut la fuir, commence par la rechercher et elle avoue à sa correspondante que cette « visite [l'] importune » (l. 30) au point de désirer qu'elle ait lieu sur le champ afin que « se consomme […] à l'instant ce douloureux sacrifice » (l. 28-29) et qu'elle puisse ainsi, libérée de l'insoutenable attente, au plus tôt « en oublier à la fois et la cause et l'objet » (l. 29-30). Pressée de recouvrer une relative paix intérieure qu'elle tentera de conquérir peu à peu grâce à l'amitié de Mme de Rosemonde chez qui elle trouvera refuge, la Présidente, en pleine crise morale, emploie dans cette lettre des termes d'ordre éthique dont elle use par ailleurs fréquemment et qui, en dépit de leur apparente banalité, nécessitent, pour une meilleure intelligence du texte et du personnage, une analyse précise d'ordre sémantique et littéraire.

Il s'agit des vocables suivants : *sagesse*[2], *vertu*, *prudence*, *tranquillité* ; on les retrouve répartis dans ces quelques phrases : « Me vanterais-je d'une *sagesse*[2] que déjà je ne dois qu'à Valmont ? » ; « Fuyons cette passion funeste […] et qu'au moins la *prudence* remplace la *vertu* » (l. 25, 27) ; « Je vous devrai ma *tranquillité*, mon bonheur, ma *vertu* » (l. 46-47).

---

1. « Me vanterais-je d'une sagesse que je ne dois qu'à Valmont ? Il m'a sauvée […]. Mes souffrances me sont chères, si son bonheur en est le prix. Sans doute il fallait qu'il revînt au Père commun. Ce Dieu qui l'a formé devait chérir son ouvrage. Il n'avait point créé cet être charmant pour n'en faire qu'un réprouvé » (*L*.124).
2. Ce mot n'apparaît pas dans l'extrait étudié, mais il est utilisé par Mme de Tourvel quelques lignes plus tôt et son examen est indispensable car, comme on le verra, il est indissociable du mot *vertu*.

Dans la lettre 102, Mme de Tourvel écrivait déjà à Mme de Rosemonde : « [...] je n'ai sauvé que ma *sagesse*, la *vertu* s'est évanouie » ; cette formule indique clairement que les substantifs en question n'ont pas le même sens. Il convient par conséquent de bien les distinguer. En fait, ces deux termes, comme l'a pertinemment montré Laurent Versini[1] appartiennent au vocabulaire de Rousseau dont Laclos, on le sait, était un lecteur assidu. Pour l'auteur de *La Nouvelle Héloïse*, la *sagesse* n'est qu'une invitation à la paix de l'âme, à la quiétude intérieure, à cette équanimité[2] si chère aux philosophes stoïciens ou épicuriens de l'Antiquité ; elle refuse le trouble et procure le repos ; elle est un état tranquille. En revanche, « la *vertu* est active, conquérante, dynamique[3] » et, à ce titre, en garantissant l'empire qu'on peut exercer sur ses sentiments, elle seule permet de lutter victorieusement contre la passion et d'accéder au bonheur ; elle est cette force qui aiderait Mme de Tourvel à résister contre son malheureux amour et d'en triompher si elle ne s'était pas résignée à lutter sans espoir. Puisque la *vertu* est désormais irrémédiablement perdue, il ne reste plus à la Présidente que la *sagesse* qui lui dictera la *prudence* en l'invitant à la fuite, seule issue capable de lui assurer ce qu'elle appelle sa *tranquillité*[4]. Ainsi, c'est auprès de Mme de Rosemonde dont l'expérience, l'âge, l'ouverture d'esprit et l'aménité lui seront d'un grand secours, que la dévote trouvera un salutaire asile pour accomplir « le travail difficile » (*L.*124) qui lui permettra peut-être, grâce à l'amitié de sa vénérable aînée, de reconquérir, avec le repos de l'âme, son bonheur et sa vertu.

---

1. Voir *Laclos et la tradition*, *op. cit.*, p. 600 et suivantes.
2. *Équanimité* : égalité d'humeur, impassibilité, sérénité.
3. L. Versini, *op. cit.*, p. 602.
4. « Cet empire que j'ai perdu sur mes sentiments, écrit Mme de Tourvel, je le conserverai sur mes actions » ; « [...] je serais doublement coupable, si je continuais à manquer de *prudence*, déjà prévenue que je n'ai plus de force » (L. 90). Laclos suit ici fidèlement Rousseau. Dans *La Nouvelle Héloïse*, comme chez Mme de Tourvel, le *repos* ou la *tranquillité* ne sont possibles que grâce à la *sagesse* et seule la vertu conduit au *bonheur* : « Il n'est point de route plus sûre pour aller au *bonheur* que celle de la *vertu* », écrit Claire, l'amie de Julie (*La Nouvelle Héloïse*, Livre III, lettre 4). En ce qui concerne le caractère dynamique et conquérant de la vertu, ou peut noter, à la suite de L. Versini, ce mot révélateur de Saint-Preux à Julie : « [...] Ne savez-vous pas que la vertu est un état de guerre, et que pour y parvenir on a toujours quelque combat à rendre contre soi » (Livre IV, lettre 7).

CONCLUSION

Si une lettre de Mme de Merteuil marquait la fin de la seconde partie du roman, c'est à Mme de Tourvel que revient le rôle de clore la troisième. Laclos indique ainsi l'importance qu'il attache à ce personnage et l'éminente fonction qu'il lui accorde dans l'économie générale de son œuvre. On ne peut qu'admirer le talent avec lequel il a su peindre les subtilités et les ambiguïtés psychologiques de cette femme qu'il rend ici plus attachante et pathétique que jamais en nous montrant avec finesse et pénétration l'illusion dont elle est victime lorsqu'elle estime naïvement, en dépit de réelles capacités d'introspection, avoir réussi à trouver son salut, au point de se croire capable, malgré une violente et légitime appréhension, d'affronter une dernière fois le séducteur auquel, pour son malheur, elle s'abandonnera bientôt tout entière.

QUATRIÈME PARTIE

Analyse du film

1 Découpage du film

1. L'ouverture

Musique. Une main de femme tient une lettre destinée à la marquise de Merteuil, l'ouvre et le spectateur découvre le titre du film inscrit sur la lettre, *Dangerous Liaisons* (*Les Liaisons dangereuses*).

2. La présentation des protagonistes

Musique. Le premier plan du film montre le visage de Mme de Merteuil se regardant dans son miroir. Le générique se poursuit sur des plans parallèles de Mme de Merteuil et de Valmont apprêtés par leurs domestiques. On ne découvre le visage de Valmont que lorsqu'il est tout à fait prêt. Le vicomte arrive chez Mme de Merteuil. On aperçoit à la fenêtre Cécile Volanges qui l'observe traverser la cour.

La relation entre Mme de Merteuil et Valmont au centre de l'intrigue

1. La rencontre entre Cécile et Valmont

Intérieur. Chez Mme de Merteuil. La caméra suit Cécile, de dos, qui entre dans le salon tandis que les laquais allument les bougies du lustre. Sa mère et Mme de Merteuil jouent aux cartes. Alors que les trois femmes conversent, un domestique apporte un billet annonçant la venue de Valmont. Ce dernier leur apprend son départ pour le château de sa tante, Mme de Rosemonde. Gênées par les regards insistants de Valmont sur Cécile, les Volanges se retirent.

2. Des projets divergents : vengeance pour Mme de Merteuil et désir de conquête pour Valmont

Mme de Merteuil fait part à Valmont de son projet de vengeance : elle le charge de faire l'éducation sexuelle de Cécile qui doit devenir l'épouse du comte de Bastide, son ancien amant. *Flash-back* : Cécile est sur le point de sortir du couvent. Valmont refuse la demande de Mme de Merteuil et lui exprime son désir de conquérir la présidente de Tourvel. Images de Mme de Tourvel en train de cueillir des fleurs chez Mme de Rosemonde.

3. Le pacte noué par Mme de Merteuil et Valmont

Valmont et Mme de Merteuil sortent d'un salon en devisant. La marquise a un amant, Belleroche, mais Valmont ne souhaite pas qu'elle lui réserve l'exclusivité de ses faveurs. Ils empruntent l'escalier. Valmont se propose comme deuxième amant. Mme de Merteuil accepte à la condition que Valmont, à son retour de la campagne, ait conquis Mme de Tourvel. En gage de son succès, elle exige une preuve écrite de la main de la Présidente. Alors qu'il descend l'escalier, Valmont tente en vain d'obtenir une avance sur la récompense promise par Mme de Merteuil. Valmont se retire et Mme de Merteuil rejoint Belleroche par une porte dérobée.

Entreprises de séduction

1. Les premiers reproches de Mme de Tourvel à Valmont

Intérieur. Mme de Tourvel se met à genoux. Valmont aide sa tante à s'agenouiller. Plan large de l'eucharistie. Valmont observe Mme de Tourvel qui communie. *Extérieur*. La caméra descend sur Mme de Rosemonde et sa société quittant la chapelle. Mme de Tourvel, face caméra à côté de Valmont, lui demande pour quelles raisons il n'a pas communié. Elle lui fait comprendre qu'elle a été informée par des amis de sa rouerie. *Travelling droite*, Valmont au premier plan, Mme de Tourvel au second, les deux de profil. Valmont lui explique quelle vie de péchés il a menée jusqu'alors et lui promet de s'amender.

2. La présentation de Danceny aux Volanges par Mme de Merteuil

Intérieur. À l'opéra. Plan large : la caméra suit la cantatrice sur scène puis s'arrête sur Mme de Merteuil qui scrute la salle depuis sa loge. Cécile et sa mère sont placées derrière elle. La caméra remonte sur Danceny, *plan serré* sur son visage : il pleure. Mme de Merteuil présente Danceny, qui l'a rejointe dans sa loge, à Mme de Volanges puis à Cécile qui ne dit mot. Mme de Merteuil suggère à la mère de Cécile de faire de Danceny le professeur de solfège de sa fille.

3. La scène de la saisie immobilière,
un stratagème pour conquérir Mme de Tourvel

Extérieur. Musique. Valmont part à la chasse. Il est suivi gauchement par le valet de Mme de Tourvel. *Intérieur*. Alors que la Présidente est encore couchée, sa femme de chambre, Julie, se penche à son oreille pour l'informer de l'endroit où se rend Valmont. *Extérieur. Travelling* sur Valmont et Azolan, son serviteur. Valmont souhaite qu'Azolan obtienne que Julie subtilise et lui remette la correspondance de sa maîtresse. Avec son fusil, Valmont tire vers le valet de Mme de Tourvel qui persiste à les suivre. *Plan large* de la maison du vieil Armand où l'on procède à la saisie de ses biens. Valmont et Azolan arrivent à ce moment-là. Valmont s'interpose, paie les dettes de la famille puis pénètre dans la chaumière. *Plan subjectif* du valet de Mme de Tourvel. Valmont ressort et la famille paysanne se jette à ses pieds pour le remercier. *Musique*. Retour au château. Azolan ouvre la boîte aux lettres, se saisit du courrier de Mme de Tourvel et le remet à Valmont. Valmont cherche à démasquer l'auteur des lettres qui le desservent. *Intérieur*. Mme de Rosemonde félicite son neveu pour son geste charitable et celui-ci en profite pour contraindre Mme de Tourvel à une étreinte. *Nuit*. Valmont et Mme de Tourvel face à face dans un salon. Elle finit de lire une lettre, engage la conversation avec Valmont qui lui avoue ses sentiments. Elle se réfugie dans sa chambre. *Plan subjectif* de Valmont qui, l'ayant suivie, observe par le trou de la serrure sa réaction. *Noir. Musique*. Valmont fait irruption chez Azolan qui se trouve avec Julie, sa maîtresse. Valmont propose à celle-ci de ne pas révéler leur liaison si elle lui remet les lettres reçues par Mme de Tourvel.

4. Cécile et Danceny : les prémices de l'amour

Intérieur. Danceny donne une leçon de solfège à Cécile. *Plan rapproché*. Danceny glisse à Cécile un billet où il est écrit « Je vous aime. » Mme de Merteuil arrive. *Plan rapproché* : elle comprend ce qui se trame entre les deux jeunes gens. *Cut. À l'opéra*. Cécile questionne Mme de Merteuil sur la conduite à tenir avec Danceny. Mme de Merteuil révèle à Cécile qu'on va la marier avec Bastide et lui promet de l'aider à écrire à Danceny.

5. Les avances de Valmont à Mme de Tourvel

Extérieur. Plan large de Mme de Tourvel dans une allée avançant vers la caméra. Elle rencontre Valmont qui poursuit son entreprise de séduction. *Travelling*. Mme de Tourvel repousse les avances de Valmont. Série de *champs contrechamps*. Elle veut qu'il quitte le château et, s'il refuse, annonce qu'elle partira. *Travelling*. Valmont accepte et lui propose en contrepartie un échange de lettres. *Intérieur. Nuit*. Julie remet à Azolan les lettres de sa maîtresse. Valmont les lit et s'aperçoit que Mme de Volanges est la confidente de la Présidente. Il prend congé de sa tante et de Mme de Tourvel. *Intérieur*. Allongé, Valmont écrit, sur le dos de sa maîtresse, une lettre à double sens destinée à Mme de Tourvel. *Extérieur*. Mme de Tourvel est assise et lit la lettre de Valmont. *Plan rapproché* de son profil. Elle lit la lettre. Valmont en *voix-off*.

Le pouvoir de Mme de Merteuil sur Valmont

1. La stratégie manipulatrice d'une libertine

Intérieur. Plan de Mme de Merteuil qui prend le thé. Série de *champs contrechamps*. Valmont lui révèle que Mme de Volanges le dessert auprès de la Présidente. Désireux de donner une leçon à Mme de Volanges, il se rallie au projet de vengeance de Mme de Merteuil et accepte de pervertir Cécile. *Plan large* sur les deux personnages assis l'un à côté de l'autre. Ils s'entendent pour que Valmont s'impose comme conseiller privilégié de Danceny. Mme de Merteuil revient sur son passé qui apporte un éclairage sur la libertine qu'elle est devenue. Le plan se resserre petit à petit sur son visage, puis sur celui de Valmont. Ils se remémorent leur relation passée. On annonce l'arrivée de Mme de Volanges. Valmont, dissimulé par un paravent, les écoute. Mme de Merteuil apprend à Mme de Volanges que sa fille et Danceny entretiennent « une liaison dangereuse ». *Plan subjectif* de Valmont. Mme de Merteuil invite sa cousine à aller fouiller dans le secrétaire de Cécile où sont cachées les lettres de Danceny. Puis elle lui propose de séjourner avec sa fille chez Mme de Rosemonde. Mme de Volanges sort. Mme de Merteuil rappelle à Valmont qu'il doit lui apporter la preuve écrite de la conquête de Mme de Tourvel. Valmont étreint et tente d'embrasser Mme de Merteuil qui s'y refuse. Sortie de Valmont. *Cut. Musique*. Mme de Volanges entre chez sa fille et trouve les lettres de Danceny. Cécile s'évanouit.

2. L'entente entre Cécile et Valmont

Intérieur. Valmont fait le tour du salon où se trouvent Cécile, Mme de Rosemonde et Mme de Tourvel et tente de remettre une lettre de Danceny à la jeune fille. Il trouve un prétexte pour faire sortir Mme de Tourvel et les autres femmes afin de glisser la lettre à Cécile. Alors qu'elle va sortir, Valmont arrache le châle de Cécile et la somme de venir le récupérer dans le but de s'entretenir avec elle. Valmont convainc Cécile de lui procurer la clef de sa chambre, détenue par Mme de Volanges, pour qu'il puisse lui remettre plus facilement les lettres de Danceny. Cécile s'empare de la clef et la confie à Valmont. *Extérieur*. Valmont reproche à Mme de Tourvel la piètre opinion qu'elle se fait de lui et il lui promet de tenir une conduite exemplaire.

3. Valmont dans la chambre de Cécile

Intérieur. Valmont pénètre chez Cécile avec sa clef. Il s'approche de son lit et la réveille. La jeune fille croit qu'il lui apporte une lettre, alors qu'il n'a qu'une hâte : l'initier aux plaisirs des sens. Il la menace de révéler à sa mère la subtilisation des clefs si elle ne l'embrasse pas. Il lui dérobe un baiser. *Cut*. Salle à manger où se tiennent tous les personnages. Alternance de plans entre Cécile, gênée, et Valmont qui la provoque par son comportement et ses regards. Cécile se retire brusquement. *Musique*. Sa mère la suit. *Nuit*. Valmont devant la chambre de Cécile. Il ne peut y pénétrer. On perçoit des pleurs. Plan de Cécile qui rédige une lettre. Cécile en *voix-off* appelle Mme de Merteuil à l'aide. *Cut*. À la lecture de la lettre de Cécile, Mme de Merteuil jubile.

4. Les recommandations de Mme de Merteuil à Cécile

Extérieur. Mme de Merteuil arrive au château de Mme de Rosemonde. *Intérieur*. Série de *champs contrechamps*. Mme de Merteuil recommande à Cécile de laisser Valmont poursuivre son « éducation » et de feindre d'oublier Danceny.

5. Les échanges de regards entre la Présidente et Valmont décryptés par Mme de Merteuil

Intérieur. Une assistance importante est réunie pour un concert. Mme de Merteuil et Valmont s'entretiennent de l'évolution de leurs projets libertins. Mme de Tourvel fait son entrée. Le concert débute. Série de plans alternés du visage de Mme de Tourvel, et de Valmont placé à côté de Mme de Merteuil.

Valmont et la Présidente échangent de nombreux regards qui n'échappent pas à la perspicacité de la marquise.

Le double jeu de Valmont

1. Le vicomte, professeur d'éducation sexuelle de Cécile

Fondu enchaîné. Valmont et Cécile entrent dans la chambre du vicomte. Il lui explique l'utilité de l'éducation qu'il lui prodigue : la préparer à sa nuit de noces. Il lui raconte que, par le passé, il a eu une liaison avec sa mère. Cécile s'en amuse. Il poursuit l'éducation sexuelle de Cécile, assortie d'une leçon de grammaire latine.

2. Le vicomte, épris de la Présidente

Cut. Intérieur. La chapelle. Le prêtre prononce la messe en latin. Valmont, filmé de dos, entre dans la chapelle et s'installe près de Mme de Tourvel. *Musique.* On entend en *voix-off* ce que Valmont écrit à Mme de Merteuil. *Cut.* Mme de Merteuil lit ces mêmes lettres. *Cut.* Plan de Valmont et de Mme de Tourvel. Il assure à la jeune femme que son influence l'a transformé. Retour sur Mme de Merteuil qui achève la lecture de la lettre de Valmont. Elle est désormais convaincue que Valmont est épris de Mme de Tourvel.

3. La fuite de Mme de Tourvel

Intérieur. Nuit. Valmont et Mme de Tourvel évoquent leur relation. Face aux avances insistantes de Valmont, sa résistance faiblit. La Présidente reconnaît éprouver des sentiments pour lui. Alors qu'elle est prête à s'abandonner, Valmont quitte la chambre, rencontre Julie, et lui dit qu'il pense sa maîtresse malade. *Chambre de Mme de Tourvel.* Elle confie ses sentiments à Mme de Rosemonde qui lui conseille de fuir Valmont. *Cut.* Azolan réveille précipitamment Valmont : Mme de Tourvel est partie. Valmont enjoint à son domestique de la filer et de lui rapporter ses faits et gestes.

La suprématie
de Mme de Merteuil

1. Piqué au vif par Mme de Merteuil, Valmont part à la reconquête de la Présidente

Intérieur. Mme de Tourvel écrit à l'abbé Anselme. Texte en *voix-off*. Valmont, chez lui, lit la même lettre. Azolan fait son rapport à Valmont sur la vie menée par Mme de Tourvel. Images simultanées de celle-ci. Mme de Merteuil s'introduit chez Valmont, suivie de Danceny. Elle se place face au miroir. Danceny a noté que le style des lettres de Cécile a changé. *Flash-back.* Sous la dictée de Valmont, Cécile écrit une lettre à Danceny. Le dos nu de Valmont lui sert de pupitre. *Cut* sur Mme de Merteuil qui lit cette lettre. *Cut.* Retour chez Valmont. Danceny se retire. Enfin seuls, Valmont apprend à Mme de Merteuil que Cécile est peut-être enceinte de lui. Mme de Merteuil se moque de Valmont et le pousse à lui promettre de reconquérir Mme de Tourvel.

2. La montée des périls : la Présidente s'abandonne, Mme de Merteuil se refuse, Cécile fait une fausse couche

Valmont rend visite à Mme de Tourvel qui cède de nouveau à ses assauts. *Cut.* Valmont monte les escaliers de Mme de Merteuil en hâte, criant victoire. Il lui raconte la capitulation de Mme de Tourvel et le plaisir qu'il en éprouve. Le visage de Mme de Merteuil se fige. *Flash-back* : la Présidente et Valmont au lit. Sans lettre de Mme de Tourvel, la marquise refuse sa récompense à Valmont. Irritée par les propos de ce dernier, elle lui révèle qu'elle a un nouvel amant, l'accuse d'être amoureux de la Présidente et lui rappelle les sentiments qu'ils ont à une époque partagés. La marquise rejoint Danceny par une porte dérobée. *Cut* sur le carrosse de Mme de Merteuil qui s'en va. Échange de lettres, lues en *voix-off*, entre Valmont et Mme de Merteuil, dont les visages se suivent en *fondu enchaîné*. *Cut. Chez Valmont.* Mme de Tourvel arrive alors que Valmont s'entretient avec sa maîtresse. Bouleversée par cette rencontre, elle soupçonne Valmont d'infidélité. Il la détrompe et ils se réconcilient. En *voix-off*, une lettre de Mme de Merteuil recommande au vicomte de ne pas négliger Cécile. *Cut* sur Cécile et Valmont au lit. Cécile fait une fausse couche. *Cut* sur le valet de Valmont qui espionne Mme de Merteuil pénétrant chez elle avec Danceny.

3. Une nouvelle exigence de la marquise : Valmont doit rompre avec la Présidente

Intérieur. Valmont arrive chez Mme de Merteuil et surprend Danceny allongé près d'elle. Il lui annonce que Cécile rentre à Paris. Danceny se retire. Valmont apporte à Mme de Merteuil la preuve qu'elle réclamait, une lettre de la Présidente. Mme de Merteuil et Valmont conversent. Ils sortent et descendent un escalier. Mme de Merteuil raconte l'histoire d'un amant qui, rompant avec une maîtresse trop encombrante, ne donnait en guise d'explication que la réponse suivante : « Ce n'est pas ma faute. »

4. La mise à exécution du diktat de la marquise : Valmont obéit et quitte la Présidente

Cut. Intérieur. Plan du reflet de Mme de Tourvel, filmée dans un miroir. Entrée de Valmont. Il rompt et répète inlassablement « Ce n'est pas ma faute » aux répliques de Mme de Tourvel. Valmont la malmène puis sort, la laissant en pleurs.

SÉQUENCE 6 (20 min 8)

L'ultime bataille

1. La déclaration de guerre entre la marquise et le vicomte

Nuit. Valmont arrive chez Mme de Merteuil. Il souhaite connaître la fin de l'histoire de l'amant qui quitte sa maîtresse. Il veut pousser le défi plus loin et réussir à reprendre Mme de Tourvel. Mme de Merteuil lui révèle qu'elle l'a battu à son propre jeu, en le faisant rompre avec la femme dont il est épris. Valmont exige le départ de Danceny. Courroucé, Valmont révèle à la marquise qu'il a poussé Danceny dans les bras de Cécile et l'a également incité à la négliger. Il lui rappelle le pacte qui les unit. Ils se déclarent une guerre sans merci.

2. La mort de Valmont et l'agonie de Mme de Tourvel

Extérieur. Valmont et Danceny s'affrontent en duel. En *voix-off*, Mme de Merteuil divulgue à Danceny, dans une lettre, la liaison entre Cécile et Valmont. Alternance de plans du duel et de l'agonie de Mme de Tourvel au couvent. Danceny blesse mortellement Valmont. Ce dernier lui formule deux requêtes : se prémunir contre Mme de Merteuil – les lettres qu'il lui remet prouvent son machiavélisme –, et aller voir Mme de Tourvel afin de lui exprimer son regret de l'avoir quittée. Il le charge de lui dire que ses sentiments étaient véritables et qu'elle a été le seul bonheur de sa vie. Danceny rend visite à Mme de Tourvel. Après l'avoir écouté quelques instants, la Présidente l'interrompt et s'éteint.

3. La débâcle de Mme de Merteuil

Intérieur. Mme de Merteuil détruit tous les objets à portée de main, brise un miroir et tombe à genoux en larmes. *Cut. À l'opéra*. Elle apparaît à sa loge et se fait huer par l'assistance. Chez elle, face à son miroir, filmée en *gros plan*, en référence à la première scène du film, elle se démaquille, défaite. La lumière baisse. *Noir*. Générique final.

2 | Stephen Frears et *Les Liaisons dangereuses*

UN CINÉASTE ENTRE FILM SOCIAL ET FILM NOIR

Stephen Frears, qui figure parmi les réalisateurs britanniques les plus célèbres de sa génération, se distingue par une production cinématographique qui conjugue observation sociale et film noir. Metteur en scène de la société contemporaine britannique et notamment de ses couches populaires, il puise dans la profondeur sociologique des films noirs américains des années 1940 la matière qui lui permet de développer son goût prononcé pour les histoires de vengeance et de manipulation.

Un observateur de la société

Stephen Frears est né en 1941 à Leicester au Royaume-Uni. En 1966, après ses études de droit, il devient assistant metteur en scène au *Royal Court Theatre* de Londres. En 1972, Frears commence ses premiers tournages. Mais il doit sa célébrité à la série de films qu'il réalise, en prise avec l'actualité de son pays, sur la question des minorités : *My Beautiful Laundrette* (1985, sorti en France en 1986), *Prick Up Your Ears* (1987, sorti en France la même année) et *Sammy and Rosie Get Laid* (1987, sorti en France en 1988 sous le titre *Sammy et Rosie s'envoient en l'air*). Si Les *Liaisons dangereuses (Dangerous Liaisons)*, réalisées en 1988, paraissent introduire un changement d'orientation dans sa production cinématographique – ce film hollywoodien réunit des acteurs vedettes et connaît un succès international[1] – les milieux aristocratiques du XVIIIe siècle dépeints par Laclos constituent aussi pour Stephen Frears, au même titre que les milieux populaires, un terrain riche d'enseignement pour cet observateur de la vie sociale d'hier et d'aujourd'hui.

En 2000, Frears revient au film historique et tourne en Grande-Bretagne *Liam*, l'histoire d'un petit garçon qui grandit à Liverpool durant la crise des années 1930 et dont le père ouvrier adhère aux mouvements fascistes. Attiré par la politique britannique, Stephen Frears réalise pour la télévision en 2003 *The Deal*, un téléfilm qui dépeint les relations entre l'ancien Premier ministre Tony Blair et Gordon Brown. En 2006, dix-huit ans après *Les Liaisons dangereuses* qui le portait en germe, Frears réalise *The Queen*, film qui met en scène l'ébranlement du pouvoir aristocratique – incarné par la reine Elisabeth II – face à la ferveur populaire suscitée par la mort de la princesse Diana, en août 1997.

Observateur avisé de toutes les couches de la société, Frears est aussi un réalisateur accompli de films noirs.

Un réalisateur de films noirs

Sa carrière de réalisateur débute en effet avec *Gumshoe* (1971), un *thriller*[2] inspiré des films noirs américains des années 1940. Réalisateur pour la télévision britannique, il a travaillé sur près de quarante téléfilms dont un grand nombre était de genre policier. En 1984, il revient au cinéma avec un autre film policier, *The Hit*, sorti en France la même année sous le titre *The Hit : le tueur était presque parfait*. Quelques années plus tard, il réalise dans la même veine *The Grifters* (1990, sorti en France un an

---

1. Le film cumule lors de sa sortie plus d'un million cinq cent mille entrées en France, est nominé sept fois aux Oscars (avec notamment meilleure image, meilleure actrice dans un premier rôle pour Glenn Close, meilleure actrice dans un second rôle pour Michelle Pfeiffer, meilleure musique originale) et il en obtient trois (meilleur scénario, meilleure direction artistique, meilleurs décors et costumes).
2. Un *thriller* : anglicisme qui signifie film (ou roman) policier qui procure des sensations fortes.

plus tard sous le titre *Les Arnaqueurs*) et *Hero* (1992, sorti en France en 1993 sous le titre *Héros malgré lui*).

LES LIAISONS DANGEREUSES :
UNE ADAPTATION À LA LETTRE ?

La spécificité de ce réalisateur n'échappe pas aux studios Warner Bros. qui le contactent dans le courant de l'année 1986 pour prendre en charge l'adaptation cinématographique des *Liaisons dangereuses* et qui voient dans ce choix l'occasion de moderniser le genre du film historique. Mais comment réaliser, dans les années 1980, un film à succès à partir d'une intrigue qui se déroule dans la seconde moitié du XVIIIe siècle, coupée, à bien des égards, des préoccupations contemporaines ?

Pour répondre à cette question, Stephen Frears s'associe avec le scénariste Christopher Hampton, habitué à la transposition d'œuvres littéraires et avec qui il a déjà collaboré[1]. Ils choisissent de s'appuyer sur l'adaptation théâtrale du roman de Laclos de Christopher Hampton (portée à la scène en 1985), en lui appliquant des règles de film hollywoodien et en préservant la dimension universelle des passions humaines qui fait sa modernité.

« Le film devait être plus narratif[2] » déclare Stephen Frears justifiant ainsi sa volonté de revenir, davantage que Christopher Hampton dans son adaptation théâtrale, au roman de Laclos. Frears souhaite remettre au centre de l'intrigue les relations ambiguës entre la marquise de Merteuil et le vicomte de

---

1. Christopher Hampton a transposé au théâtre *Les Légendes de la forêt viennoise* (1977) d'Odön von Horvath et *Le Partage à San Cristobal* (1983) de Georges Steiner. Il a adapté pour le cinéma *Le Consul honoraire* de Graham Greene et *Le Bon Père* de Peter Prince. *Able's will* réalisé pour la télévision britannique par Stephen Frears à partir d'un scénario de Christopher Hampton constitue leur premier travail de collaboration. Après *Les Liaisons dangereuses*, cette collaboration se poursuit en 1996 avec la réalisation du film *Mary Reilly* (avec Julia Roberts et John Malkovitch). Une adaptation de *Chéri*, roman de Colette (avec Michelle Pfeiffer dans le rôle titre), sortira sur les écrans en 2009.
2. Propos recueillis par Michel Ciment, « Entretien avec Stephen Frears », *in Positif* n°338, avril 1989.

Valmont, en se focalisant, comme dans tout film hollywoodien, sur un nombre réduit de personnages. Alors que l'adaptation théâtrale de Hampton comprend onze changements de scènes, ce qui génère de longues séquences, le scénario revu par Frears et Hampton les porte à deux cent. Frears, considérant que la lettre est « une arme qui finit par tuer[1] », redonne à l'échange épistolaire toute sa fonction dramatique. Enfin, Hampton et Frears travaillent sur la diversité des lieux[2].

Ces différents aménagements qui marquent une fidélité plus grande au roman de Laclos surprennent au regard des nombreuses adaptations connues pour avoir transposé l'intrigue à une époque plus contemporaine[3], telles l'adaptation de Roger Vadim en 1959, celle de Josée Dayan en 2003 ou encore celle, pleine d'inventivité, du film pour adolescents (*teen movie*), *Cruel Intentions (Sexe intentions)* de Roger Kumble sortie en 1999.

Pour Stephen Frears, la force de la reconstitution historique tient dans la distance qu'il convient de préserver dès lors que l'on veut illustrer des sentiments universels : « La tension vient de ce recul dans le temps et tout à la fois du rapprochement que l'on opère avec notre présent. Il n'y a aucun moyen de faire apparaître de tels comportements comme scandaleux pour notre époque[4]. »

Le film de Stephen Frears est, de toutes les adaptations cinématographiques des *Liaisons dangereuses*, sans doute la plus proche du roman de Laclos. Mais il n'en est pas moins marqué du sceau d'un réalisateur qui oscille entre film social et film noir.

---

1. « Entretien avec Stephen Frears », *Ibid*.
2. Le film a été tourné dans les châteaux de Champs-sur-Marne, de Maison Laffitte, de Lésigny, de Vincennes, de Guermantes, de Saussay, de Gambais ainsi que dans les studios de Joinville en France et de Taksen au Royaume Uni.
3. *Valmont* (1989), l'adaptation de Milos Forman se déroule, comme dans le roman de Laclos, au XVIIIᵉ siècle.
4. « Entretien avec Stephen Frears », *Ibid*.

3 | Un film à huis clos

« Eh bien mon ange, comment vous adaptez-vous au monde extérieur ? » demande la marquise de Merteuil à la jeune Cécile Volanges tout juste sortie du couvent. Cette première réplique du film donne le ton, installant d'emblée chaque personnage dans une logique de l'enfermement. Qu'il s'agisse de Cécile ou de Valmont, de la marquise de Merteuil ou de la présidente de Tourvel, tous les personnages des *Liaisons dangereuses* sont prisonniers de leur univers et coupés du monde extérieur.

Cinéaste social, Frears se saisit du roman de Laclos pour livrer sa vision de l'aristocratie française de la seconde moitié du XVIIIe siècle, qu'il considère comme une caste renfermée sur elle-même et indifférente au reste du peuple. Son adaptation offre un contrepoint à la réflexion politique qu'il développe dans ses autres films sur les minorités, tels *The Hit* (1984) ou *My Beautiful Laundrette* (1985). Frears réfute l'idée, communément admise, selon laquelle le pouvoir aristocratique est renversé à la Révolution française à cause de ses abus et de ses privilèges. Selon lui, la raison est ailleurs et tient à son mépris des couches populaires. Mais cet enfermement n'est pas seulement social, il est aussi éthique, chaque personnage se trouvant pris au piège de son système de valeurs.

Pour mettre en scène ce double enfermement, Stephen Frears choisit de faire des *Liaisons dangereuses* un huis clos en s'appuyant sur trois procédés cinématographiques : une structure circulaire, des plans privilégiant les scènes intérieures et une logique des plans serrés.

UNE STRUCTURE CIRCULAIRE

Le scénario, conçu par Hampton et Frears[1], repose sur une structure circulaire qui conduit la première et la dernière scènes à se répondre dans un effet de boucle. Le premier plan, qui s'ouvre sur Mme de Merteuil se regardant dans son miroir (générique), trouve un écho dans la dernière scène où elle apparaît en gros plan, se démaquillant, toujours face au miroir (séquence 6).

La mise en scène de Frears accentue cet enfermement grâce à deux dispositifs. Le motif de la grille, symbolisée par les fenêtres quadrillées derrière lesquelles apparaît Cécile Volanges dans les premières scènes du générique, figure l'emprisonnement de la jeune fille tout juste sortie du couvent et longtemps soustraite à toute influence du monde extérieur. La caméra insiste, lors de cette sortie, sur le nombre de portes à franchir et de verrous à lever, qui sont autant de métaphores de cette incarcération. Le second dispositif scénique qui vient compléter cette image de l'enfermement est fourni par la figure du cercle que décrivent, dans leurs déplacements, certains personnages. On en trouve l'illustration dans la scène où Valmont cherche à remettre la lettre de Danceny à Cécile Volanges (séquence 3). Le vicomte fait le tour de la pièce et trace un cercle qui souligne avec efficacité le manège diabolique auquel il se livre.

Tant du point de vue du scénario que de la mise en scène, la prégnance de toutes ces figures circulaires révèle combien cette scénographie de la claustration est symptomatique du dysfonctionnement qui régit cet univers.

---

1. Sur ce travail de collaboration, voir plus haut « Frears et *Les Liaisons dangereuses* », p. 148.

DES SCÈNES EN INTÉRIEUR

En dépit du nombre varié des lieux de tournage[1], Stephen Frears ne fait nullement étalage des décors, ce qui, pour un film en costume caractérisé par des reconstitutions fastueuses, constitue un paradoxe. Pour le réalisateur, la reconstitution historique des *Liaisons dangereuses* ne doit pas entraver la vision morale qu'il veut donner du film. Le décor profus et opulent apparaît comme un piège tendu au cinéaste : le monde aristocratique français de cette seconde moitié du XVIIIe siècle risque de détourner l'attention du spectateur par son faste et de lui faire manquer l'essentiel de sa démonstration. La caméra se doit d'estomper le décor.

Un cadre intime

Les plans en extérieur exercent une fonction strictement informative, si bien que la caméra ne s'attarde guère au-dehors. Ils indiquent le lieu de l'action avant que celle-ci ne débute et, le plus souvent, la façade du château où elle va se dérouler. Quelques scènes ont cependant lieu en extérieur ; la plus significative est celle de la chasse de Valmont et de son acte de charité à l'égard de monsieur Armand. Toutefois, la reconstitution sommaire et délibérément caricaturale de la pauvre chaumière rend le décor inexistant et déréalisé. Sa présence, comme annulée, amplifie par effet de contraste l'importance de toute scène intérieure. Le huis clos opère même à l'air libre.

Les Liaisons dangereuses privilégient les plans en intérieur en concentrant l'action sur trois lieux, synonymes de la sphère intime : les salons des différents protagonistes (ou la loge de théâtre de Mme de Merteuil), leurs chambres à coucher et le boudoir, salon privé de Mme de Merteuil. Ces lieux sont propres aux confidences, aux complots et aux rencontres amoureuses. Frears resserre la caméra sur ses protagonistes comme pour assigner à ce cadre intime une fonction de refuge que les personnages courent grand risque à vouloir quitter.

---

1. Voir note 2, p. 152.

Une caste hors du réel

La mise en scène de Frears met en correspondance l'intime et le secret. De par leur penchant à la dissimulation et au mensonge, les protagonistes s'enferment progressivement dans leur espace intime. Pour expier sa faute adultère, Mme de Tourvel se retire au couvent où elle agonise et Mme de Merteuil se réfugie dans sa chambre lorsque, rejetée de tous à l'opéra, elle se retrouve seule face à elle-même dans la dernière scène du film (séquence 6). La mort qui accueille Valmont et la Présidente apparaît comme le lieu clos par excellence.

Le cadre nocturne ou crépusculaire de nombreuses scènes, telle celle de la fuite de la Présidente quittant à la faveur de la nuit le château de Mme de Rosemonde (séquence 4) – ou le premier tête à tête entre Valmont et Mme Merteuil qui se déroule à la nuit tombée (séquence 1) –, appuie cet estompage du décor. Un estompage quasi ostentatoire qui vise à dénoncer l'aveuglement d'une caste confinée dans un espace clos qui se situe hors du réel.

LA LOGIQUE DES PLANS SERRÉS

Au choix prépondérant des espaces clos, qui reflète l'enfermement des personnages, s'associe une logique des plans serrés qui se traduit par le recours systématique aux plans rapprochés (qui rassemblent dans le même cadre deux personnages saisis de près) et aux gros plans (qui se concentrent sur le visage d'un personnage unique).

Les plans d'ensemble sont rares et disparaissent aussitôt apparus. Comme les plans en extérieur, ils exercent une fonction purement informative, indiquant parmi quels autres personnages les protagonistes évoluent. Deux des scènes qui se déroulent à l'opéra (séquences 2 et 6) confirment, dans une alternance de plans d'ensemble et de plans rapprochés, l'environnement mondain des protagonistes.

Les plans rapprochés ainsi que les gros plans des héros, qui relèguent les autres personnages au rang de figurants, servent un double objectif : souligner la dimension psychologique de l'intrigue et révéler la fonction morale assignée à la caméra.

L'aspect psychologique de l'intrigue

La caméra de Frears agit pour lui comme un microscope qui cerne au plus près les personnages et leurs agissements pour faire jaillir l'émotion. Deux traits de caractère sont particulièrement mis en exergue : la naïveté de Danceny et de Cécile, qui se laissent manipuler par Valmont et Mme de Merteuil, et la méchanceté du couple infernal qui se retrouve à plusieurs reprises pour mettre au point ses différentes machinations. La caméra immortalise le sourire diabolique des deux protagonistes qui devient caractéristique.

À la différence de Valmont et Mme de Merteuil, le registre qui définit le mieux la présidente de Tourvel est le pathétique. Son visage n'exprime que désarroi et fragilité ; la pâleur extrême qu'elle affiche, lors de ses rencontres avec Valmont, reflète une candeur que les larmes viennent bientôt ravager.

Le sens moral de la caméra

Ce minutieux travail de caméra, au plus près des personnages, tente de révéler la vérité de chacun. Avec des accents de moraliste, Frears met en lumière par gros plans le caractère des personnages, comme si sa caméra agissait à l'inverse de la scène inaugurale qui voit Mme de Merteuil et Valmont se vêtir.

Toute la magie du film consiste à défaire cette scène première et à les mettre à nu psychologiquement et socialement. Pour Frears, filmer revient à dévoiler. Ainsi, *Les Liaisons dangereuses* traquent la réalité sous le masque et cherchent à révéler les coulisses d'un monde d'apparences et d'apparat.

4 | Un film théâtral

Les Liaisons dangereuses s'ouvrent sur une série de plans alternés qui présentent la marquise de Merteuil et le vicomte de Valmont au moment de leur réveil. La scénographie de ces deux levers insiste sur le caractère théâtral des personnages qui, tels des comédiens en coulisses, s'apprêtent à monter sur scène : apparaissent les images de Valmont se poudrant, se maquillant et choisissant sa perruque et celles de Mme de Merteuil revêtant sa robe comme un comédien son costume. Par un effet de mise en abyme, ces rôles dans les rôles révèlent des personnages qui seront les acteurs d'eux-mêmes.

Pour Stephen Frears, le monde des aristocrates est un vaste théâtre[1] où chacun joue un rôle. Pris dans le jeu des mondanités et du libertinage, les personnages sont des acteurs dont le masque dissimule les sentiments véritables que le cinéaste s'attache à démasquer. Car filmer, c'est entrer dans une quête de vérité et lever le voile sur l'identité des différents protagonistes.

Construites comme un film théâtral, Les *Liaisons dangereuses* donnent à voir une comédie des mœurs, tout à la fois mondaine et amoureuse, qui débouche sur une fin tragique.

---

1. Voir plus haut, dans la partie consacrée à l'analyse du roman, « Le théâtre du monde », pp. 24-25 ; « Une action théâtrale », pp. 84-85.

LA COMÉDIE MONDAINE

Ainsi que s'en explique la marquise de Merteuil, revenant sur les raisons qui l'ont conduite à devenir une libertine, pour exercer un rôle en société, il faut posséder une armure et en jouer afin d'apprendre à se jouer des autres (séquence 3)[1]. Car, pour elle comme pour Valmont, son interlocuteur et partenaire de jeu, l'exercice de la comédie mondaine relève avant tout du divertissement.

Un registre comique dominant

Pointant le caractère machiavélique des deux protagonistes toujours prêts à duper leurs malheureuses cibles, la plupart des scènes cèdent au registre comique même quand la situation ne s'y prête pas initialement. Le spectacle causé par l'absence de sincérité de Valmont faisant acte de charité anéantit toute compassion que le spectateur pourrait éprouver pour le malheureux paysan et sa famille. Le décalage entre la naïveté des victimes et le cynisme de Valmont procède d'une ironie dramatique : le spectateur se divertit du cruel jeu de dupes qui se déroule sous ses yeux (séquence 2).

La métaphore théâtrale

Pour illustrer métaphoriquement ce spectacle permanent, certaines scènes se déroulent à l'opéra (séquences 2 et 6). Par deux fois, l'attitude de la marquise croquée dans sa loge est révélatrice du rapport qu'elle entretient avec la société. Contrairement à un spectateur ordinaire, elle ne regarde pas la cantatrice chanter sur scène : un long plan la montre occupée à scruter ce qui se passe dans la salle (séquence 2). Pour elle comme pour Frears, dans ce monde de simulacres, le spectacle est dans la salle.

---

1. Ce passage est illustré par la lettre 81 du roman.

LA COMÉDIE AMOUREUSE

Mais la comédie ne se joue pas uniquement dans la sphère publique. Elle affecte profondément la sphère privée et les relations amoureuses en particulier. Le jeu de rôles auquel se livrent Valmont et Mme de Mertueil, les deux héros libertins, installe une comédie des sentiments qui, entre badinage[1] et marivaudage[2], s'appuie sur le mensonge et la dissimulation, appuyée par des scènes relevant du vaudeville[3].

▌Une scénographie de vaudeville

Le film prend des allures de vaudeville avec le chassé-croisé des maîtresses, maris, femmes et amants auquel se livrent les personnages : Valmont qui se dissimule derrière un paravent à l'arrivée de Mme de Volanges, venue visiter la marquise, pour écouter leur conversation (séquence 3), et Mme de Mertueil qui emprunte une porte dérobée pour retrouver ses amants, Belleroche (séquence 1) et Danceny (séquence 5). La porte dérobée est un clin d'œil aux décors des vaudevilles et aux amants qui s'y cachent dans les armoires.

▌Maquillage et gestuelle de *slapstick*

Pour souligner cette théâtralisation du jeu des acteurs, le visage des acteurs subit un traitement particulier. Le maquillage outrancier de Glenn Close et de John Malkovich signale qu'ils jouent la comédie. À l'opposé, le visage de leurs victimes n'est pas grimé et reflète leur innocence : la présidente de Tourvel, Cécile et Danceny se caractérisent par leur pâleur et leur absence d'apprêt. Ils restent tous les trois naturels.

---

1. Le *badinage* : amusement, jeu, plaisanterie.
2. Le *marivaudage* : vient du nom de Marivaux, écrivain français du XVIIIe siècle, auteur notamment du *Jeu de l'amour et du hasard*. Le marivaudage est une comédie du sentiment où l'action, avant tout psychologique, progresse au fil des dialogues et du langage, qui se traduit par des propos galants et recherchés.
3. Un *vaudeville* : une comédie légère, divertissante, fertile en intrigues et rebondissements.

Ce comportement artificiel est accentué par une gestuelle empruntée au *slapstick*[1], le genre burlesque[2] du cinéma muet américain. Les corps sont réduits à des mécaniques qui agissent comme des pantins grotesques. Soulignant à quel point le personnage n'est qu'un jouet manipulé par la marquise, le corps de Valmont est particulièrement soumis à cette gestuelle. Au cours de la scène de substitution des clés par Cécile (séquence 3), Valmont recule tel un automate pour ne pas être vu de Mme de Volanges.

Toutefois les procédés comiques à l'œuvre dans ce ballet des sentiments ne peuvent occulter durablement l'issue fatale qui guette les acteurs de cette comédie.

UNE FIN TRAGIQUE

Pour le moraliste derrière la caméra, la comédie ne peut durer qu'un temps : la vérité doit reprendre ses droits et les masques doivent tomber. Le film se déleste progressivement des accents comiques qui percent dans les premières séquences et s'achemine inexorablement vers une fin tragique.

▌Des morts tragiques

La comédie vire au tragique lorsque les protagonistes cessent de s'amuser et quittent leur rôle d'emprunt. Lorsque Valmont découvre à quel point il est épris de la Présidente, il se départit de son rôle d'acteur cynique et court à sa perte. Très caricaturale, la scène de rupture avec la Présidente (séquence 5) témoigne de son plus mauvais rôle. Il découvre alors l'opposé du jeu théâtral : la vérité et la sincérité du sentiment amoureux.

---

1. Le *slapstick* : terme employé au music-hall, passé au cinéma dans les années 1920 et qui désigne une série de gags mécaniques et purement physiques (tartes à la crème, carambolages, démarche de marionnette).
2. Le *burlesque* : genre cinématographique caractérisé par l'importance accordée aux gags visuels (chutes, poursuites…) et à leur succession rapide dans le film.

Le registre tragique imprègne les faits et gestes des personnages. La mort domine et vient sanctionner le destin des coupables. Valmont meurt le premier, victime du duel qui l'oppose à Danceny. Le film s'achève en poursuivant la symbolique théâtrale. Lorsque la présidente de Tourvel rend l'âme, son corps agonisant disparaît derrière une tenture que l'on tire, évoquant ainsi le tomber du rideau, à la fin d'une représentation. Quant à la marquise de Merteuil, elle connaît la fin d'une mauvaise actrice : démasquée, elle est huée à la fin du film par le public depuis son balcon et il ne lui reste plus qu'à quitter la scène (séquence 6).

Le rôle symbolique du miroir

Enfin, pour souligner le dévoilement des personnages, la mise en scène de Frears utilise un objet du décor dont la présence est récurrente : le miroir. Symbole narcissique, le miroir reflète la nature véritable des personnages qui s'y mirent, assumant la fonction de révélateur. Il dévoile leur identité et joue le rôle de contrechamp comme dans la scène où Mme de Merteuil reçoit Belleroche, l'un de ses amants (séquence 1). Alors que son visage défait apparaît dans le miroir, juste après sa rupture avec Valmont (séquence 5), Mme de Tourvel se garde de s'y mirer tentant de se prémunir contre l'image de femme adultère qui la hante depuis qu'elle a cédé aux avances de Valmont.

Associé dès sa première apparition, dans le générique d'ouverture, au visage de la marquise de Merteuil, cet objet symbolique figure au premier plan de la dernière scène, qui renvoie à sa présence dans la première : lorsqu'elle apprend la mort de Valmont, la marquise brise un miroir parmi d'autres objets. Mais outre qu'il constitue dans la conscience collective un signe de mauvais augure, le bris du miroir reflète la déchéance de la marquise. Exclue de la société et seule face à elle-même, son vrai visage apparaît à mesure qu'elle se démaquille et fait tomber le masque.

▎Une conclusion différente de Laclos ?

Ce dénouement diffère de celui proposé par Laclos. Dans le roman, la marquise de Merteuil n'est pas exposée à une telle fin : elle émigre en Hollande, est ruinée par différents procès et voit son visage dévasté par la vérole. Le but de Laclos était de punir moralement cette femme coupable[1].

Or si, dans ce film théâtral, Frears opte pour une autre fin, sa mise en scène rejoint le projet littéraire de Laclos. Car, pour le romancier comme pour le réalisateur, il ne s'agit pas d'exhiber des relations perverties et immorales dans le seul but de divertir : seule l'éducation du regard et de l'esprit prime. Et ce n'est qu'à cette condition que la morale est sauve.

---

1. Voir sur ce point dans la partie sur l'analyse du roman « Une œuvre morale ? », pp. 103-104.

5 | *Les Liaisons dangereuses* : entre film noir et film de guerre ?

Depuis le début de sa carrière, Stephen Frears alterne films sociaux portant un regard sur les minorités et films noirs[1] inspirés du cinéma américain des années 1940. Admirateur inconditionnel du réalisateur américain Billy Wilder et de son premier film à succès, *Double Indemnity* (*Assurance sur la mort*)[2], Frears retient du film noir trois caractéristiques majeures : une analyse réaliste des mœurs de la société contemporaine, une intrigue à suspense fondée sur le schéma de la vengeance, et des personnages au caractère bien trempé, dont la femme fatale est la figure la plus emblématique.

Dans la pure tradition hollywoodienne de la « politique des auteurs[3] », qui allie le besoin de divertir le public au respect du style de l'auteur, Frears travaille à transformer le roman de Laclos en « film le plus noir qu'on puisse imaginer[4] ». À cette première direction de mise en scène, s'ajoute une seconde qui emprunte au film de guerre et redéfinit les rapports entre

---

1. Le film noir est apparu en 1941 aux États-Unis avec *The Maltese Falcon* (*Le Faucon maltais*) réalisé par John Huston. Le film noir est pessimiste par essence. Ses thèmes privilégiés sont : le meurtre ou le crime, l'infidélité, la trahison, la jalousie.
2. Billy Wilder (1906-2002) est un réalisateur américain, dont *Double Indemnity* (*Assurance sur la mort*) est le troisième film et la première réussite commerciale. Il a tourné plusieurs films noirs et s'est ensuite orienté vers la comédie. *Sept ans de réflexion* et *Certains l'aiment chaud*, tournés avec Marilyn Monroe figurent parmi ses plus grands succès.
3. La *politique des auteurs* : elle constitue un mouvement théorique de la critique cinématographique initié par François Truffaut dans les pages des *Cahiers du cinéma* en février 1955. Elle consiste à donner au réalisateur le statut d'auteur, au-dessus de tout intervenant.
4. « Entretien avec Stephen Frears » *in Positif, ibid.*

la marquise de Merteuil et le vicomte de Valmont comme un affrontement permanent.

UN *REMAKE*[1] DE FILM NOIR

Maîtrisant les codes du film noir, Stephen Frears les applique aux *Liaisons dangereuses* en recentrant l'intrigue autour des ressorts qui ont fait le succès d'*Assurance sur la mort*, et en mettant en scène un couple de personnages manipulateurs et peu scrupuleux.

Une nouvelle version d'*Assurance sur la mort*

Sorti en 1944, le film de Billy Wilder présente une intrigue dont Stephen Frears s'inspire pour conduire les rapports entre Valmont et Mme de Merteuil. *Assurance sur la mort* retrace l'histoire de Walter Neff, employé dans une compagnie d'assurance qui tombe éperdument amoureux de Phyllis, une de ses clientes venue contracter une assurance vie pour son mari, avec une prime qui double en cas de mort accidentelle. Phyllis devient la maîtresse de Neff et l'incite à tuer son époux. Neff s'exécute mais découvre que Phyllis le trompe et qu'il a été manipulé. Les amants diaboliques finissent par s'entretuer, pris au piège de leur propre machination.

Frears traite l'histoire entre Mme de Merteuil et Valmont en privilégiant deux axes du chef-d'œuvre de Billy Wilder : la manipulation et le retournement de situation. Dans son adaptation des *Liaisons dangereuses*, le désir de vengeance de Mme de Merteuil à l'égard du comte de Bastide, son ancien amant, est mis en avant à la fois comme explication psychologique de tous ses actes et comme ligne dramatique qui organise l'intrigue. Comme dans tout film noir, celle-ci s'ordonne autour de trois étapes clés.

---

1. Un *remake* : anglicisme qui vient du verbe *to remake*, qui signifie *refaire*. Dans le vocabulaire du cinéma, il s'agit d'un film adapté d'un autre film ayant existé précédemment dont le contenu peut être plus ou moins fidèle à l'original .

La première étape consiste à exposer le plan ourdi par les héros. Dans la séquence 1, Mme de Merteuil présente à Valmont son projet de vengeance et celui-ci l'informe en retour de son désir de conquérir la présidente de Tourvel. L'incompatibilité qui aurait pu naître de leurs deux plans d'action, visant à piéger la jeune vierge Cécile Volanges et la prude Mme de Tourvel, débouche sur un pacte qui scelle l'union entre les deux partenaires, à la manière des truands. À l'instar de ce qui se produit dans le milieu, ce pacte définit un code d'honneur dont le vice est la valeur suprême et toute action un défi à la vertu et aux règles de respectabilité.

La deuxième étape procède à l'installation du suspense qui s'étend sur une série de scènes et vise à l'exécution du plan en deux volets : le dévergondage de Cécile et la capitulation de la Présidente.

Mais la structure du film noir s'impose dans la troisième et dernière étape par le procédé du coup de théâtre, à l'instant où tout semble devoir s'achever. En effet, alors que le film paraît toucher à son dénouement, que Valmont a livré à Mme de Merteuil la preuve écrite de la main de la Présidente de son infidélité à son époux, la trahison surgit, émanant de l'un des protagonistes : la marquise s'est jouée du vicomte et l'a ridiculisé. Comme dans *Assurance sur la mort*, la femme trahit, est punie par son amant et provoque leur mort.

Des personnages de films noirs

À ce schéma classique du film noir vient s'ajouter le couple des amants diaboliques : la femme fatale et son partenaire roué.

La femme fatale, incarnée par la marquise de Merteuil, est interprétée par Glenn Close qui a déjà joué dans *Liaison fatale*[1] un rôle de manipulatrice. La marquise est un personnage noir,

---

1. Sorti en 2002, *Liaison fatale* est un film de Brian de Palma.

qui agit à l'encontre de toutes les valeurs admises. Sa démarche aussi froide que rationnelle confine à la cruauté. Donnée essentielle du personnage de la femme fatale, sa beauté qui contraste avec sa laideur d'âme et son pouvoir de séduction précipitent les hommes épris d'elle vers la mort. Traîtresse par excellence, elle ridiculise son complice et n'est mue que par ses intérêts.

L'amant roué est incarné par le vicomte de Valmont. Interprété par John Malkovich, il représente le partenaire idéal de la femme fatale : à la fois coupable et victime. Il fait partie des criminels du vice qui se jouent de la vertu de ses proies que sont Cécile et la présidente de Tourvel. Mais, progressivement, comme dans *Assurance sur la mort*, cet amant révèle ses faiblesses et sa naïveté : il s'humanise lorsqu'il s'éprend de Mme de Tourvel. D'antipathique, Valmont devient sympathique et pathétique, victime de la machination de la marquise de Merteuil, son ange exterminateur.

UN FILM DE GUERRE ?

Dans la logique hollywoodienne de l'adaptation, outre l'influence du film noir, Frears trouve dans les codes du film de guerre les moyens de dynamiser sa reconstitution historique. Il n'y a pas à proprement parler de scènes d'action, exception faite du duel final entre Valmont et Danceny (séquence 6) ; il s'agit d'une guerre sans combats physiques ni affrontement d'armées : elle structure les rapports entre les personnages et détermine leurs actions selon une scénographie précise.

Une logique belliqueuse

Dans *Les Liaisons dangereuses*, les combats sont symboliques et les personnages guidés par une logique belliqueuse. Elle s'exprime sans détours, dans les dialogues de la marquise de Merteuil et de Valmont, par le recours au champ lexical de la conquête. Pour mettre en œuvre leurs projets libertins, les héros s'expriment comme des chefs d'état-major des armées. Dès la première scène, la marquise de Merteuil parle à Valmont de ses « missions », et l'enjoint de « triompher » de Mme de Tourvel comme s'il s'agissait d'un exploit militaire (séquence 1). De la même manière, lorsqu'il a « triomphé » de la présidente de Tourvel, Valmont parle à son propos de « capitulation » (séquence 5). L'affrontement qui s'ensuivra entre Valmont et Mme de Merteuil fera explicitement référence à la prise de position martiale de la marquise : « À la guerre, je dis oui » (séquence 6). Enfin, il n'est qu'à considérer la devise de Mme de Merteuil, révélée lors de sa longue tirade pour percevoir qu'elle fait sienne une devise de guerrier : « Vaincre ou périr » (séquence 3).

Des personnages guerriers

La mise en scène souligne combien ces libertins se révèlent de véritables guerriers. Les premiers plans du générique montrent la marquise en train de s'habiller en s'attardant sur la manière dont son corset est serré et les paniers de sa robe sont montés. Pour Stephen Frears, il s'agit de signifier que la marquise enfile une véritable armure car elle mène un combat féministe pour se protéger des hommes. La marquise affiche l'image d'une femme forte et dominatrice, proche de l'amazone.

À l'inverse, Frears souligne l'impuissance des hommes qui approchent la marquise à rivaliser avec cette guerrière. Il ne cesse de souligner la féminité des hommes, dont il illustre la vulnérabilité et la faiblesse. Ainsi, Valmont porte des habits de couleur rose, généralement associée dans la symbolique des couleurs au sexe féminin ; le soin qu'il apporte, lors de sa toilette, à son visage poudré paraît également l'efféminer. De même que Danceny dont la sensibilité est exacerbée, Valmont faiblira par ses sentiments devant la marquise dont l'armure est inébranlable.

Cette masculinité défaillante est soulignée par Frears dans les scènes d'opéra : la première montre une cantatrice dominatrice qui tient deux hommes enchaînés et en laisse (séquence 2) ; la seconde montre chez Mme de Rosemonde (séquence 3) un castrat, symbole de l'émasculation que la marquise de Merteuil inflige à la gent virile.

Il ne faudrait donc pas se contenter de voir dans *Les Liaisons dangereuses* une simple guerre des sexes. Mme de Merteuil et Valmont cherchent non seulement à dominer leurs semblables par de fourbes machinations, mais à prendre le pouvoir l'un sur l'autre.

Lexique
de l'analyse filmique

Angle de prise de vue : place de la caméra par rapport au sujet (plongée, contre-plongée, vision frontale).

Cadrage : il détermine l'échelle du plan, sa composition interne et l'angle de prise de vue.

Champ : partie de l'espace montrée à l'écran.

Contrechamp : espace opposé au champ.

Contre-plongée : prise de vue effectuée quand la caméra est positionnée en dessous du sujet.

Cut : simple juxtaposition de deux plans.

Découpage : division du film en séquences, sous-séquences (appelées parfois « scènes ») et plans.

Échelle de plans : échelle établie par rapport à la taille des personnages qui permet de définir les différents plans. On distingue : *plan général* : il cadre un paysage ; *plan d'ensemble* : il cadre un lieu avec un ou des personnage(s) ; *plan de demi-ensemble* : il cadre le(s) personnage(s) dans un lieu ; *plan moyen* : il cadre un personnage en entier ; *plan américain* : il cadre un personnage des cuisses à la tête ; *plan rapproché taille/buste* : il cadre le personnage à partir de la taille ou du buste ; *gros plan* : il cadre la tête du personnage.

– *Détail/insert* : il cadre un détail du personnage ou d'un objet.

Extérieurs : lieux de tournage situés exclusivement en dehors des studios ou des décors intérieurs.

Fondu : obscurcissement ou éclaircissement progressif d'une image. Il en existe trois types :

– *Fondu au noir* : obscurcissement plus ou moins rapide d'une image jusqu'au noir.

– *Fondu au blanc* : éclaircissement avant que l'image suivante n'apparaisse.

– *Fondu-enchaîné* : superposition de la fin d'un plan avec le début du plan suivant.

Générique : placé au début et/ou à la fin du film, il en indique le titre, les acteurs, les techniciens et fournisseurs.

Hors-champ : partie de l'espace qui n'est pas montrée à l'écran.

Intérieurs : lieux de tournage situés exclusivement en studio ou dans des décors intérieurs.

Montage : choix et assemblage des plans d'un film.

Off : mot anglais signifiant « hors de », abréviation de *off screen* (en dehors de l'écran). Le son *off* vient d'une source invisible à l'écran située dans un autre temps, dans un autre lieu.

Plan : portion de film enregistrée au cours d'une prise de vue. Après le montage, portion de film entre deux collures.

Plan-séquence : réalisation d'une séquence en un seul plan.

Plongée : prise de vue effectuée quand la caméra est positionnée au-dessus du sujet.

Profondeur de champ : zone de netteté dans l'axe de la prise de vue.

Raccord : manière de juxtaposer deux plans lors du montage (raccord de regard, de geste, de mouvement…).

Scénario : description de l'action d'un film contenant dialogues et indications techniques.

Séquence : ensemble de plans qui constituent un ensemble narratif défini selon une unité de temps et de lieu. Elle correspond à l'acte théâtral ou au chapitre du roman. Elle est constituée de sous-séquences (appelées parfois « scènes »).

Travelling : déplacement de la caméra de l'arrière vers l'avant ou inversement (*travelling* avant/arrière) ou déplacement horizontal de la caméra (*travelling* latéral).

Bibliographie
et filmographie

ÉDITIONS DES *LIAISONS DANGEREUSES*

• Laclos, *Œuvres complètes*, texte établi, présenté et annoté par Laurent Versini, Paris, Gallimard, « Bibliothèque de la Pléiade », 1979.

• *Les Liaisons dangereuses ou les lettres recueillis dans une société et publiées pour l'instruction de quelques autres*, par M. C... de L..., Amsterdam ; Paris, Durand Neveu, 1782, 4 vol. Il s'agit de l'édition originale.

• *Les Liaisons dangereuses*, texte établi sur le manuscrit autographe et présenté par Yves Le Hir, Paris, Garnier, 1952.

• *Les Liaisons dangereuses*, chronologie et préface par René Pomeau, Paris, Garnier-Flammarion, 1964.

• *Les Liaisons dangereuses*, préface d'André Malraux, notice et notes de Joël Papadopoulos, Paris, Gallimard, coll. « Folio », 2001.

ÉTUDES SUR LACLOS

• BAUDELAIRE Charles, « Notes sur *Les Liaisons dangereuses* », in *Œuvres complètes* de Baudelaire, Paris, Gallimard, « Bibliothèque de la Pléiade », 1976.

• COULET Henri, *Le Roman français du Moyen Âge à la Révolution*, Paris, A. Colin, coll. « U », 1967, pages 471 à 482.

• DELMAS André et Yvette, *À la recherche des Liaisons dangereuses*, Paris, Mercure de France, 1964.

• POISSON Georges, *Choderlos de Laclos ou l'obstination*, Paris, Grasset, 1985.

• SEYLAZ Jean-Luc, *Les Liaisons dangereuses et la création romanesque chez Laclos*, Génève, Droz ; Paris, Minard, 1965.

• VAILLAND Roger, *Laclos par lui-même*, Paris, Le Seuil, 1953.

• VERSINI Laurent, *Laclos et la tradition, essai sur les sources et la technique des Liaisons dangereuses*, Paris, Klincksieck, 1968.

OUVRAGES COLLECTIFS

- « Laclos », *Revue d'histoire littéraire de la France*, juillet-août 1982.
- « Laclos et le libertinage », *Actes du colloque de Chantilly*, PUF, 1983.

ADAPTATIONS CINÉMATOGRAPHIQUES

- *Les Liaisons dangereuses 1960*, film de Roger Vadim, dialogues de Roger Vailland, avec Gérard Philippe et Jeanne Moreau (1960).
- *Les Liaisons dangereuses*, film anglais de Stephen Frears, avec Glenn Close, John Malkovitch, Michelle Pfeiffer (1988).
- *Valmont*, film américain de Milos Forman, avec Colin Firth, Annette Bening, Meg Tilly et Fairuza Balk. Adaptation de Jean-Claude Carrière (1989).
- *Cruel Intentions* (*Sexe intentions*), film américain pour adolescents (*teen movie*) de Roger Kumble, avec Ryan Philippe, Reese Witherspoon et Sarah Michelle Gellar (1999).
- *Les Liaisons dangereuses*, téléfilm en deux épisodes réalisé par Josée Dayan, avec Catherine Deneuve, Rupert Everett, Nastassja Kinski, Danielle Darrieux, Leelee Sobieski. Adaptation d'Éric-Emmanuel Schmitt (TF1, 2003).

PIÈCE DE THÉÂTRE ET SCÉNARIO DES *LIAISONS*

- HAMPTON Christopher, d'après Choderlos de Laclos, *Les Liaisons dangereuses*, Actes Sud-Papiers, 1992.
- FREARS Stephen et HAMPTON Christopher, « Les Liaisons dangereuses », Jade-Flammarion, 1992.

ÉTUDES SUR LE RÉALISATEUR ET SUR LE FILM

- PERNOD Pascal, « Le galop des libertins », in *Positif* n° 338, avril 1989, pp. 4-5. CIMENT Michel, entretien avec Stephen Frears, in *Positif* n° 338, avril 1989, pp. 6-9.
- SABOURAUD Frédéric, « Le cinéma de l'immédiat », in *Cahiers du cinéma* n° 417, mars 1989, pp. 42-43.
- O'NEILL Eithne, *Stephen Frears*, Rivages/Cinéma, 1994.
- Scénario, découpage et dossier sur *Les Liaisons dangereuses* de Stephen Frears, in *l'Avant-Scène Cinéma*, n°498, janvier 2001.

Index

Les numéros renvoient aux pages du Profil.

Achevé d'imprimer en France
par la Nouvelle Imprimerie Laballery à Clamecy 58500
Dépôt légal : 93190-1/07 – Juin 2019 – N° d'impression : 905424